멈추지 마,
다시 꿈부터 써봐

꿈을 쓰고 80개국에서
72개의 꿈에 도전하다

멈추지 마,
다시
꿈부터
써봐

김수영 지음

_____ 님의

멈추지 않는 인생을 응원합니다.

원하는 것에 초점을 맞추면
원치 않는 것이 눈앞에서 사라진다

"췌장암 말기입니다. 앞으로 3개월에서 6개월 남았네요."

33살의 평범한 회사원이었던 헌수씨에게 찾아온 날벼락같은 소식이었습니다. 절망에 빠진 헌수씨는 이 책, 〈멈추지 마, 다시 꿈부터 써봐〉를 읽고 예전의 제가 그랬던 것처럼 꿈 목록을 썼습니다. 그리고 그 꿈들을 이루느라 너무 신나고 바빠서 아플 틈이 없다며 제게 감사의 이메일을 보내왔지요. 정기적으로 병원을 드나들긴 했지만 건강이 좋아진 덕분에 취업 강사와 컨설턴트라는 새로운 커리어에 도전하기도 했습니다. 그는 원없이 자신의 꿈들에 도전하면서 예정된 시간보다 7년을 더 살다 세상을 떠났습니다.

이 책이 세상에 나온지도 10년 가까이 됩니다. 그동안 헌수씨처럼 많은 분들이 이 책 덕분에 인생이 바뀌었다고 감사 인사를 보내왔습니다. 자살하려다 제 책을 읽고 다시 살기로 결심해 성공한 사업가가 된 분도 있고, 가난한 집안형편을 비관하던 고등학생이 혼자 힘으로 돈을 벌어 하버드에 들어가기도 했습니다. 그밖에도 수많은 기적같은 이야기들이 이 책에서 시작되었습니다. 초판 에필로그에서 '이 책이 그냥 출간되고 끝나는 것이 아니라 나와 독자의 삶 속에서 살아 숨쉬며 성장하는 아이처럼 소중한 꿈의 씨앗이 되기 바란다.'고 썼는데 그것이 현실이 된 것입니다.

무엇이 그 기적을 가능케 했을까요?

이 책을 처음 썼을 때는 제 운명을 바꾼 기적같은 꿈의 힘이 이렇게 큰 줄 저도 몰랐습니다. 하지만 지난 10여 년간 더 많은 일을 겪고, 더 많은 공부를 하고 나서야 알게 되었습니다. 원하는 것에 초점을 맞추면 원치 않는 것들이 눈 앞에서 사라진다는 것을.

많은 사람들은 삶의 이런저런 힘든 일들을 불평불만하거나 고민하는데 많은 에너지를 소모합니다. 하지만 날씨가 추운 날, 춥다고 신세한탄하고, 이 추위를 분석하고, 정부를 원망해봤자 날씨는 따뜻해지지 않습니다. 오히려 추위에 온 신경이 쏠려 있기 때문에 더 춥다고 느껴지겠지요. 반면 그 시간에 내가 원하는 따뜻한 곳으로 바쁘게 가다보면 춥다고 느낄 틈도 없습니다.

사람마다 깊이와 양상이 다르겠지만 누구에게나 아픔과 상처가 있고 삶의 힘듦이 있습니다. 내가 왜 아픈지, 왜 힘든지를 분석하자면 한도 끝도 없습니다. 오히려 더 아프고 더 힘들다고 느껴질 겁니다. 하지만 내가 원하는 것에 에너지를 집중하면 아프고 힘들다고 느낄 시간도 없게 되는 것입니다.

꿈 목록을 쓰기 전의 저는 '왜 나만 이렇게 힘들게 살아야 할까' 라는 생각에 가득차 있었습니다. 그 상황에서 암 진단을 받고 절망의 나락으로 떨어졌지요. 하지만 꿈목록을 쓰고 나서는 그 꿈들에 도전하느라 너무 바빠서 괴로워할 시간조차 없었습니다. 그렇게 하나하나 꿈에 도전하다보니 어느덧 72개의 꿈을 이뤘고 예전에는 상상할 수도 없었던 인생을 살게 되었습니다.

우리나라 사람들은 참 열심히 삽니다. 하지만 열심히 사는 게 중요한 것이 아닙니다. 무엇을 위해 열심히 사느냐가 중요합니다. 트레드밀에서 아무리 걸어봤자 1미터도 나아가지 못하지만 꿈은 마치 인생의 목적지와도 같아서 열심히 사는 만큼 내가 원하는 삶에 가깝게 다가가게 됩니다.

인생을 바꾸고 싶다면 내가 원하는 삶을 자유롭게 상상하고 그 꿈들을 써보세요. 그리고 중요도와 기한을 정해 우선순위를 정해보세요. 그 다음으로 가장 중요하고 시급한 꿈을 위해 아주 작은 도전이라도 해보세요. 회사나 학교를 그만두는 등의 큰 결단을 내릴 필요까지 없습니다. 이 책을 끝까지 읽어보는 것처럼 아주 작은 액션을 취해 보는 것만으로도 충분합니다. 그런 작은 실천들이 모여서 당신의 삶을 1cm씩 움직일 것입니다. 언젠가 당신이 꿈꿔왔던 순간이 현실이 되었을 때, 이 책을 읽은 것을 정말 잘했다고 생각하게 될 겁니다.

2010년에 이 책을 처음 냈을 당시의 저는 73개의 꿈 중 32개를 이룬 상태였는데 지금은 83개의 꿈이 있고 이제까지 72개의 꿈에 도전했습니다. 그 꿈 중 하나가 책을 내는 것이었는데 저와 수많은 사람들의 인생을 바꾼 첫번째 책을 이렇게 다시 세상에 내놓을 수 있어 진심으로 기쁩니다.

이 책의 내용은 크게 네 가지로 구성되어 있습니다. 방황, 가출, 독학, 골든벨 우승으로 이어지는 저의 성장기, 대학시절과 골드만삭스, 암 수술 이후 꿈을 쓰고 영국으로 떠나 로열더치셸에서 직장생활을 했던 저의 20대, 세계 곳곳에서 다양한 꿈에 도전했던 이야기, 마지막으로 이 과정에서 만난 사람들과 그들로부터 얻은 깨달음입니다. 또한 개정증보판에는 지난 15년간 꿈을 이루며 살아온 기록들과 이 책을 통해 인생이 바뀌었다는 세 독자님들의 이야기를 추가했습니다.

앞으로 제게 남은 꿈들은 개인적인 모험이나 성취보다는 더 많은 사람들이 더 나은 삶을 살 수 있도록 돕는 것들입니다. 계속해서 꿈을 이루고 그 꿈들을 나누며 살겠습니다. 저의 꿈 도전은 평생 진행형이니 SNS를 통해 계속 소식 전하겠습니다. 지켜봐 주세요. 감사합니다.

2019년 7월 김수영 드림

수많은 이들의 꿈에
사로잡히다

"어떻게 이런 삶이 가능하죠?"

2013년 9월, 캘거리공항의 미국 입국 심사대. 히스패닉계의 입국 심사원은 놀라운 표정으로 나를 향해 묻고 있었다. 나는 편도 티켓만 들고 미국으로 입국하려는 중이었다. 정해진 규칙은 없지만 그 나라에서 나가는 비행기 표가 없으면 입국 자체를 허가하지 않는 나라들이 많다. 더군다나 미국은 까다롭기 그지없는 곳이고.

"전 세계 일주 중이에요. 미국에서 2~3개월 있다가 남쪽으로 아르헨티나까지 쭉 가고, 그다음엔 아프리카, 오세아니아로 갈 거예요."

"꿈같은 얘기네요. 일은 안 하시나요?"

"이게 제 일이에요. 꿈에 도전하며 사는 것."

"에이, 그건 너무 비현실적인 얘기예요."

그의 표정은 상당히 시니컬했다. 나는 스마트폰을 꺼내 사진을 보여주었다. 서점에 진열된 내 책들과 수백 명의 사람들 앞에서 강연하는 내 모습이 담긴 사진들.

"오~ 당신 한국에서 유명한가 봐요?"

"유명하진 않지만 먹고사는 데는 지장 없어요."

'다시 말해 불법체류할 일은 없으니 그만 통과시켜주세요'라는 말이 목까지 차올랐지만 그는 호기심 천국이었다.

"왜 사람들이 당신 책을 사고 강연을 듣죠?"

"전 세계를 무대로 꿈을 이루면서 살아왔기 때문인 것 같아요."

"세계 일주하는 사람이 당신만 있는 건 아니잖아요? 전 하루에도 수십 명의 한국인을 입국시키는데요?"

결국 그를 설득하기 위해 난 내가 살아온 이야기를 짧게 해야 했다. 가난하고 불행한 가정에서 자라 학교도 중퇴하고 방황했지만 꿈이 생겨서 독학으로 대학에 갔다고, 스물다섯 살에 암 수술을 하고 꿈 목록을 쓴 이래 한국을 떠나 80개국에서 그 꿈을 하나하나 이루며 살아왔다고. 그의 표정은 의문에서 감동으로 바뀌었다.

"아니...... 어떻게 이런 삶이 가능하죠? 나도 당신 못지않게 어려운 이민자 가정에서 자랐고, 많은 고생 끝에 공무원이 된 후 그 이상 이룰 수 있는 건 없다고 생각했어요. 물론 세상엔 오바마 같은 사람도 있지만 그 사람이야 특별하게 태어났고, 나 같은 출신의 사람이 당신처럼 세계 곳곳을 누비며 살 수도 있다고 생각하진 못했거든요."

"자유롭게 상상하고, 그걸 이룰 수 있다고 믿었어요. 계속해서 도전하고 실행하니 꿈이 현실이 되더라구요."

나는 차분히, 마음속 깊이 우러나오는 미소와 함께 답했다. 30여 년의 시행착오와 눈물과 땀이 담긴 자신감이었다.

그런 기분을 또다시 느낄 수 있을까? 30여 년간 켜켜이 쌓여왔던 희로애락이 2주라는 짧은 시간 동안 온몸을 관통하는 기분. 잊고 있었던 수많은 기억들과 감정들이 온몸의 세포 속에서 살아났다 죽어가는 과정은 무척이나 아팠다. 세포 알알이 눈물이 배어버린 듯, 온 몸이 땡땡 부어올랐다. 〈멈추지 마, 다시 꿈부터 써봐〉의 초안을 쓰기 시작했을 때의 이야기다.

원래는 블로그에 연재해온 해외 취업 경험담을 정리해 책으로 내려고 했다. 하지만 컴퓨터를 켜자마자 나는 무엇에 홀린 듯 성장기를 적기 시작했다. 2주간 밤을 새워가며 30여 년의 기록을 써내려갔다. 그 2주 동안 다른 어떤 일에도 집중할 수 없었고 누가 툭 건드리면 주저앉아 울 것 같은 상태였다. 그럴 만도 한 것이 과거는 단순히 지나간 사건이나 그에 대한 기억이 아니라 끊임없이 현재 속에서 살아 움직이는 의미이자 에너지이므로. 글로 풀어낼수록 더욱 강렬한 힘으로 존재를 휘감는 무엇이었으므로.

그렇게 토해낸 과거의 사건들이 내 삶에 어떤 의미가 있었는지, 그 때의 감정들이 어떻게 지금의 나를 만들었는지를 곱씹고 되새기느라 6개월의 시간이 흘렀다. 객관적으로 의미를 해독할 수 없었던 쓰라린 기억들과 아물지 않은 상처 때문에 인도로 날아가 아슈람에서 일주일간 명상을 하기도 했다. 엉킨 실타래가 하나둘씩 풀리며 책에 마침표를 찍었고, 2010년 4월 30일 이 책이 출간되었다.

그 후 상상도 못했던 일들이 계속 일어났다. 책이 30만권 넘게 판매되고, 청소년 추천도서로 선정되고, 전국의 군부대 내 도서관에 비치되었다. 또 내 이야기를 숱한 매체에서 다루고 전국 학교의 진로수업에서 예시로 사용했다. 그리고 매일 아침 눈을 뜨자마자 수많은 삶으로부터 안부 인사를 받았다. 처음 몇 년간은 간절히 조언을 요청하는 사람들이 대부분이었지만, 시간이 흐르자 꿈을 쓰고 인생이 바뀌었다는 사람들에게 더 많은 감사 이메일을 받게 되었다. 초판 에필로그에서 내가 희망했던 대로 이 책은 많은 사람들의 삶 속에서 함께 성장해온 것이다. 어쩌면 그 모든 에너지는 나의 30년 인생을 압축 체험한 그 2주간의 시간 동안 똬리를 튼 것은 아닐까.

혼자만의 꿈이 아닌 수많은 이들의 꿈이 나를 사로잡으면서 내 삶도 바뀌었다. 회사를 그만두고 1년간 세계의 절반을 돌며 365개의 꿈을 모아 다큐멘터리를 만들었고 전국을 돌아다니며 꿈을 이야기했다. 꿈을 주제로 전시와 축제를 열었고 전국을 돌며 꿈에 관한 강연과 워크숍도 했다. 2013년 지구의 나머지 절반을 돌며 '사랑'을 수집하면서 또 다른 인생의 전환기를 맞이하기까지 꿈은 지난 10년을 관통하는 키워드였다.

이 책이 나온 지 6년이 흐른 지금, 꿈은 83개로 늘어났고 이제까지 80개국에서 68개의 꿈에 도전하며 더 많이 성장하고 성숙했다. 하지만 여전히 꿈에 목말라하고 삶에 지쳐 있는 사람들을 보면서 더 커진 나의 경험들과 깨달음을 나누고 싶었다.

앞으로 이 책을 읽을 많은 이들이 초판의 감동 그 이상을 발견할 수 있길 바란다.

2016년 6월 김수영

내일은 해가 서쪽에서 뜬다

"수영이가 골든벨을 울렸다면서요? 연세대에 들어갔다는 거 진짜예요? 참나, 오래 살고 볼 일이네. 내일은 해가 서쪽에서 뜨겠어요."

시장에 갔다온 엄마가 기가 막힌다며 전화를 했다. 엄마는 내가 중학교 다니던 시절 재직하던 한 여교사를 우연히 만났는데 축하한다는 빈말조차 안 하더라며 혀를 찼다. 내가 중학교를 졸업한 지 15년이나 지났음에도 그 여교사의 머릿속에 나는 구제불능의 문제아로 남아 있기에, 10년 전 골든벨을 울리고 대학까지 갔다는 사실조차 부정하고 싶은 것이구나 하는 생각이 들었다.

가난, 왕따, 문제아, 반항아, 폭력, 가출 소녀, 상고생....... 한때 나를 둘러쌌던 수식어들이다. 굳이 부인할 생각은 없다. 모두 사실이고 지금의 나를 만든 과거의 내 모습이니까. 아무런 미래도 희망도 없던 시절, 나는 "아이고, 저 인생 꼬락서니 어떻게 되나 두고 보자"하며 날 비난하던 사람들의 생각대로 계속 삐뚤어져 갔다. 더이상 바닥을 칠 수 없을만큼 만신창이가 되었을 때, 내게 꿈이 생겼다. "네 주제를 알아라"하며 주변에서 말리고 비웃어도 그 꿈을 포기할 수 없었다. 그리고 상황은 역전되기 시작했다.

대학은 꿈조차 꾸지 말라는 핀잔을 듣던 상고생이 그토록 간절히 원하던 대학에 들어갔고, 최연소 기자로 '최고 인터넷 기사상'을 받으며 기자의 꿈을 이뤘다. 재래식 화장실이 있는 가난한 집에서 살던 시골 소녀가 KBS 〈도전! 골든벨〉에서 실업계 고등학교 최초로 우승을 했고, 몇 년 뒤 세계 최고의 투자은행이라는 골드만삭스에 혼자 힘으로 들어갔다. 억대 연봉의 글로벌 커리어 우먼이 되어 사람들 앞에서 강연을 하고 전 세계 50여 곳의 나라에 발자국을 찍었다. 이는 우연도, 행운도 아니었다.

그건 바로 '꿈'이었다.

나는 아직 성공담이나 자서전을 쓸 만큼 성공하지는 않았다. 아니, 오히려 내 삶은 시행착오와 실패의 연속이었다. 하지만 그 무수한 실패와 좌절 속에서도 포기하지 않도록 나를 일으켜준 것은 꿈이었다. 꿈이 있을 때 나는 비참하리만큼 힘겨웠던 절망의 순간을 넘어 기적을 이루어냈고, 꿈이 없었을 때는 세상 모든 것을 가지고도 힘없이 무너졌다.

건강검진 때 몸에서 이상 암세포가 발견되어 내 인생이 이렇게 끝날지도 모른다는 위기감이 엄습했던 스물다섯 살, '한 번뿐인 인생 어떻게 살아야 하나'에 대한 지독한 고민 끝에 살면서 꼭 해보고 싶은 일을 모두 써보았다. 정신없이 꿈 목록을 적다 보니 죽기 전에 하고 싶은 일이 무려 73가지나 되었다. 그 73가지 꿈 목록을 중요도와 시간 순서대로 정리해보았다. 그렇게 내린 결론이 '한국을 떠나자!'였다.

이미 한국에서 내 지구별 인생의 3분의 1을 살았으니 두번째 3분의 1은 세계를 돌아다니면서, 그리고 마지막 3분의 1은 내가 가장 사랑하는 곳에 정착하기로 마음먹었다. 그렇게 스물다섯 살의 나이에 한국을 떠나면서 나의 유목민 생활은 시작되었다.

이 지구에서 한 번뿐인 유한한 삶을 충만하게 살 수 있는 방법은 무엇일까? 끝없이 배우고, 모험하고, 즐기고, 사랑하고, 성취하고 또 창조적으로 살고 싶었다. 이 지구별을 무대로 하고 싶은 일을 하며 방랑하면서 살아가자고 결심한 뒤 나 자신을 이 지구별의 '쾌락주의자 유목민'이라고 명명했다.

'쾌락주의자'라고 해서 무조건 즐기는 것이 아니고, '유목민'이라고 해서 방향 감각을 잃고 무작정 돌아다니는 것이 아니다. 내가 하고 싶은 걸 하기 위해서는 그만큼의 노력과 책임이 따랐고, 길을 헤매지 않기 위해서는 끊임없이 앞뒤를 돌아보며 갈 길을 점검해야 했다.

어느덧 5년이 흘러 서른 살이 된 지금, 죽기 전에 하겠다던 73가지의 목표 중 벌써 32가지를 이뤄나가고 있고, 이 지구별에 발자국을 남긴 나라도 50여 곳이 넘은 것에 깜짝 놀랐다. 굳이 목록을 뒤적이면서 억지로 하거나 다른 사람을 의식해 나 자신을 채찍질한 것도 아닌데 말이다.

꿈이라는 확고한 뿌리가 없던 시절의 나는 현실의 무게를 이기지 못하고 수없이 뛰쳐나갔다. 그러나 꿈을 써내려간 후 세계 곳곳에서 온몸으로 부딪치고 맨땅에 헤딩하며 꿈을 이뤘고, 이상과 현실이 조화를 이룰 수 있을 때 지구별이란 정말 살아 볼 만한 멋진 곳임을 깨달았다. 내 마음에 귀 기울이고 진정 원하는 꿈을 계획하며, 그에 확신을 갖고 실천으로 옮기기까지 과정은 쉽지 않았다. 때로는 좌절하고 때로는 상심하기도 했지만, 진실로 마음이 원하는 일을 하다 보니 좌충우돌 내가 지구에 온 목적인 '꿈'을 찾아 이루어가고 있었다.

어찌 보면 평범하게 살고 있지만 평범하지 않은 과정을 거쳐 찾은 꿈이 얼마나 소중한지 온몸으로 느꼈고, 그 비밀을 나누고 싶다는 또 다른 꿈이 생겼기에 이 책을 쓰기로 결심한 것이다.

우리 모두는 우주에 있는 수백억 개의 별처럼 독특한 존재이며, 이 특별한 지구별에서 한 번뿐인 소중한 삶이라는 여행을 하고 있다. 이 책 역시 지구별을 여행하며 만난 사람들, 그리고 그 수많은 만남을 통해 나 자신을 만나고 내 꿈을 찾고 그 꿈을 하나둘씩 이루어가는 지구별 여정의 기록이다.

지금 나처럼 한 번뿐인 소중한 지구별 여행을 하고 있는 아름다운 당신에게 이 책이 '세상은 정말 살 만한 곳이구나'하는 희망 그리고 '나도 할 수 있다'는 용기라는 빛을 비춰준다면 지구별에 온 보람을 느낄 것 같다. 어느 책의 한 구절처럼 온 마음을 다해 간절히 원하면 우주가 그것을 이루도록 도와준다는데, 진정 원하는 꿈을 찾아 계획한다면 내일 당신의 아침에도 해가 서쪽에서 뜰 것이다.

2010년 4월 김수영

• 김수영의 꿈 목록 • 2019년 버전

번호	분류	목표	목표기한	중요도	달성여부	달성년도
1	라이프스타일	인생의 두번째 3분의 1은 전세계를 돌아다니면서!	2005	5	진행중	2005-
2	성취	해외에서 커리어 쌓기	2010	5	성공!	2006-2011
3	가족 & 친구	고향에 부모님 집 사드리기	2010	5	성공!	2010
4	가족 & 친구	부모님 효도여행 보내드리기	2010	5	진행중	2009-
5	창조적인 삶	20대의 모습을 화보로 남기기	2010	5	성공!	2009
6	창조적인 삶	살사퀸으로 무대에 서기!	2010	3	성공!	2006
7	가족 & 친구	전세계 곳곳의 훈남과 데이트하기	2013	2	성공!	2013-2014
8	모험	라틴아메리카 여행	2015	5	진행중	2006-
9	성취	진짜 비즈니스 배우기	2015	5	진행중	2006-
10	창조적인 삶	뮤지컬 무대에 서기	2015	5	진행중	2009-
11	창조적인 삶	발리우드 영화 출연	2015	5	진행중	2011-
12	성취	한 분야의 전문가가 되기	2015	4	진행중	2006-
13	성취	사람들의 삶에 도움이 되는 책 쓰기	2015	4	진행중	2010-
14	가족 & 친구	엄마 성지순례 여행 보내드리기	2015	4	성공!	2011
15	모험	킬리만자로 산 오르기	2015	3	진행중	2011
16	건강	마라톤 뛰기	2015	3	진행중	2008-
17	창조적인 삶	전문가급 사진작가 되기	2015	3	진행중	2009-
18	창조적인 삶	벨리댄스 공연!	2015	3	성공!	2006
19	라이프스타일	요가와 명상을 생활화하기	2015	3	진행중	2006-
20	창조적인 삶	건강한 몸매로 멋지게 비키니 화보 찍기	2015	3	진행중	2014-
21	창조적인 삶	가수로 데뷔하기	2015	3	진행중	2015-
22	배움	중국어 배우기	2015	2	진행중	2012-
23	배움	스페인어 배우기	2015	2	진행중	2006-
24	배움	스노보드 배우기	2015	2	성공!	2009-
25	창조적인 삶	앨범 발매와 함께 뮤직비디오 제작	2015	2	진행중	2015-
26	창조적인 삶	세계 곳곳의 전통의상을 입고 화보 찍기	2015	1	진행중	2010-
27	모험	육로로 실크로드 여행하기	2017	2	진행중	2011-
28	라이프스타일	남은 평생 돈 걱정 하지 않을 정도의 재정적 자유 얻기	2020	5	진행중	2009-
29	라이프스타일	따뜻하고 편안한 평생의 보금자리 주택 마련하기	2020	5	성공!	2016
30	성취	사람들의 삶을 변화시키는 사업하기	2020	5	진행중	2012-

31	가족 & 친구	아이 둘 낳거나 입양하기	2020	5	진행중	2018-
32	공동체	어려운 환경에 있는 아이들 후원하기	2020	5	진행중	2006-
33	공동체	NGO 홍보대사로 활약하며 선한 영향력 나누기	2020	5	진행중	2013-
34	건강	요가 강사 자격증 따기	2020	4	성공!	2011
35	모험	세일링 배우기!	2020	4	성공!	2011
36	모험	스쿠버다이빙으로 바닷속 아름다운 세상 경험하기	2020	4	진행중	2001-
37	모험	에베레스트 베이스캠프 오르기	2020	3	성공!	2012
38	건강	무술을 통한 자기단련	2020	3	진행중	2012-
39	창조적인 삶	여행 다큐멘터리 만들기	2020	3	진행중	2011-
40	창조적인 삶	패션잡지 화보촬영	2020	2	진행중	2013-
41	창조적인 삶	부에노스 아이레스에서 탱고배우기	2020	2	진행중	2014-
42	모험	인도의 아쉬람 체험	2020	2	성공!	2010
43	가족 & 친구	가족들과 1년에 한번씩 여행	2020	2	진행중	2009-
44	모험	리오 카니발에서 삼바춤추기	2020	2	성공!	2014
45	건강	브라질에서 카포에이라 배우기	2020	1	진행중	2014
46	배움	타이마사지 배우기	2020	1	성공!	2012
47	배움	포르투갈어 배우기	2020	1	진행중	2014-
48	공동체	100명 이상의 삶을 직접적으로 변화시키기	2025	5	진행중	2010-
49	공동체	개발도상국에서 자원봉사	2025	4	진행중	2011-
50	창조적인 삶	영화 제작하기	2025	3		
51	라이프스타일	따뜻한 남쪽나라에 별장 마련하기	2025	3		
52	모험	요트를 타고 세계곳곳 항해	2025	3	진행중	2011-
53	모험	캐러비안 크루즈 여행	2025	3		
54	창조적인 삶	그림과 조각 등 다양한 예술 활동	2025	3	진행중	2009-
55	공동체	공통의 관심사를 가진 사람들의 권익을 대변하는 일 하기	2025	3	진행중	2009
56	창조적인 삶	감동이 있는 소설 쓰기	2025	2		2015-
57	성취	내 삶과 예술을 담은 열린 공간을 마련해서 오픈하기	2025	2		
58	창조적인 삶	악기 또는 노래 부르는 공연하기	2025	2	진행중	2015-
59	건강	화장품 모델 되기	2025	2	진행중	2019-
60	라이프스타일	인생의 마지막 3분의 1을 가장 사랑하는 곳에서 자리잡기	2030	5		
61	창조적인 삶	사람들을 감동시키는 뮤지컬 만들기	2030	5		

62	창조적인 삶	김수영TV를 통해 전세계 100만명에게 영감 주기	2030	5	진행중	2010-
63	성취	나의 예술작품 전시회 갖기	2030	4	진행중	2011-
64	건강	건강한 아름다움 유지하기	2030	3	진행중	2005-
65	모험	아프리카 사파리	2030	2	성공!	2011
66	배움	커피 바리스타 경지에 오르기	2030	2	성공!	2012-
67	건강	줌바 강사 자격증 따기!	2030	2	성공!	2015
68	공동체	사람들의 마음을 움직이는 강연가 되기	2035	5	진행중	2009
69	건강	농장에서 유기농 야채 길러먹기	2035	1	진행중	
70	공동체	김수영 재단을 통해 1만명의 아동에게 교육의 기회 주기	2040	5	진행중	
71	성취	전세계에 영감을 준 공로에 대해 '노벨 영감상' 받기	2040	5	진행중	
72	가족 & 친구	부모님 건강관리와 행복한 노후 챙기기	평생	5	진행중	2006-
73	공동체	전세계의 영향력있는 사람들과 교류하며 열정을 나누기	평생	5	진행중	2010-
74	라이프스타일	끊임없는 마음수행으로 여여하고 평화롭기	평생	5	진행중	2015-
75	건강	균형잡힌 식생활과 운동을 통해 건강한 몸 유지하기	평생	5	성공!	2015-
76	가족 & 친구	기쁠때도 슬플 때도 사랑하는 친구들에게 먼저 다가가 챙겨주기	평생	4	진행중	2007-
77	공동체	매년 자선 프로젝트 갖기	평생	4	진행중	2009-
78	라이프스타일	마사지와 꽃잎 목욕 등으로 나를 여신처럼 소중히 아껴주기	평생	3	진행중	2013-
79	공동체	중매로 10커플 결혼시키기	평생	3	진행중	2009-
80	가족 & 친구	존경할 수 있는 사람과 결혼하여 평생 행복과 영감을 나누기	평생	5	진행중	2016-
81	가족 & 친구	아이들을 행복하고 건강하게 키우기	평생	5	진행중	2018-
82	공동체	장기 기증	사망 후	5		
83	공동체	전재산 기증하기	사망 후	5		

꿈의 기록들

사랑하는 지구별을 여행하면서

- 꿈#1 인생의 두번째 3분의 1은 전세계를 돌아다니면서!
- 꿈#2 해외에서 커리어 쌓기
- 꿈#3 고향에 부모님 집 사드리기

83개 꿈 도전의 기록들

· 꿈#8 라틴아메리카 여행하기
· 꿈#14 엄마 성지순례 여행 보내드리기
· 꿈#15 킬리만자로 산 오르기

- 꿈#18 벨리댄스 공연!
- 꿈#27 육로로 실크로드 여행하기
- 꿈#31 아이 둘 낳거나 입양하기

• 꿈#32 어려운 환경에 있는 아이들 후원하기
• 꿈#33 NGO 홍보대사로 활약하며 선한 영향력 나누기

· 꿈#34 요가강사 자격증 따기
· 꿈#35 세일링 배우기

• 꿈#36 스쿠버다이빙으로 바닷속 아름다운 세상 경험하기
• 꿈#37 에베레스트 베이스캠프 오르기
• 꿈#39 여행 다큐멘터리 만들기

- 꿈#40 패션잡지 화보촬영
- 꿈#42 인도의 아쉬람 체험
- 꿈#44 리오 카니발에서 삼바춤추기

· 꿈#63 나의 예술작품 전시회 갖기
· 꿈#68 사람들의 마음을 움직이는 강연가 되기
· 꿈#80 존경할 수 있는 사람과 결혼하여 평생 행복과 영감을 나누기

목차

제2장 내 삶은 내가 정의하는 거야

제3장 드림프로젝트는 계속된다

제4장 우리를 다시 일어서게 하는 힘

Part 1

세계에 뿌려놓은 내 꿈을 찾습니다

·
·
·

'한 번뿐인 인생, 태어난 곳에서 평생 살 필요가 있을까?

벌써 25년, 인생의 3분의 1 가까이 한국에서 살았으니

다음 3분의 1은 세계의 여기저기를 돌아다니자.

그리고 마지막 3분의 1은 내가 가장 사랑하는 곳에서 사는 거야.'

이 멋진 세상,
내가 있어야 할 곳은 어디일까

파란 하늘과 호수 사이를 메우는 푸르른 숲. 알프스 산봉우리엔 하얀 눈이 덮여 있었고, 그 아래로는 동화 속에서나 본 듯한 예쁜 집들이 여기저기 흩어져 있었다. 나른한 오후, 호수에 보트를 띄워놓고 아버지는 낚시를 하고 어머니는 책을 읽고 아이들은 수영을 즐기고 있었다. 다른 보트에서는 노부부가 샴페인 잔을 부딪쳤고, 호수에서 수영을 하는 내 또래 젊은이들의 모습도 보였다.

2001년 대학 2학년 여름방학, 스위스에 사는 사촌언니 집에 갈 기회가 생겼다. 어학연수 차 유럽에 가는 조카의 보호자 겸 과외 선생님으로 스위스에 가기로 한 것이다. 스위스에서의 첫날, 루체른 호수에서 여가를 즐기는 사람들의 모습은 내겐 부럽다 못해 충격이었다.

'세상에, 이처럼 여유롭게 살 수도 있는 건가?'

늘 공부와 아르바이트에 치이며 살아온 내게 그 풍경은 낯설기만 했다. 설령 경제적 여건이 된다고 해도 한국에서 이렇게 살 수 있을까? 오후 4시에 가족과 호수에서? 사촌언니 집에 돌아와서는 스위스 사람인 형부가 저녁을 준비하고 설거지까지 하는 모습을 보며 또 한 번 놀랐다. 아버지가 부엌에 들어가는 것을 한 번도 보지 못한 나로서는 충격이 아닐 수 없었다.

여수 '촌년'인 내가 서울에 막 올라왔을 때 지하철, 동대문 쇼핑몰, 대학로 공연, 여기저기서 벌어지는 콘서트, 가끔 우연히 보는 연예인만큼이나 신기했던 것은 외국인들이었다. '저 사람들은 어디에서 왔을까? 여기서 무엇을 할까?' 하는 궁금증이 머릿속에 맴돌았다. 한번은 지하철에서 용기를 내어 내 옆에 앉은 사람에게 "Excuse me...... Where are you from?" 하고 말을 걸었다. 참 싱겁기 짝이 없게도 한국에서 뭐하는지, 김치를 좋아하는지 등의 질문을 했던 기억이 난다. 그는 친절하게 내 질문을 받아주었지만, 휴대전화가 울리자 유창한 한국어로 통화를 해 순간 내 얼굴은 홍당무가 되고 말았다.

대학에 입학한 2000년 당시 인터넷 커뮤니티와 메신저 문화가 막 도래하기 시작했다. 마침 컴퓨터를 잘 다루던 한 선배가 ICQ라는 메신저 프로그램을 깔아주었는데, 신기하게도 외국에 있는 사람들이 메신저를 통해 말을 걸어오기 시작했다. 중국, 일본, 미국 등 잘 아는 나라뿐 아니라 나에겐 아직 생소한 터키, 모리셔스, 코스타리카, 보츠와나 같은 나라까지......

고등학교 때까지만 해도 외국에 대해 알고 있는 것이라곤 영국에는 여왕이 있고, 인도는 소를 숭배하며, 독일에선 맥주를 물 대신 마신다는 정도였다. 나는 세상에 이렇게 많은 나라가 있고 그 사람들과 소통할 수도 있다는 것이 마냥 신기하기만 했다. 그렇게 ICQ를 통해 자연스럽게 외국 친구들을 한두 명 사귀기 시작하면서 영어도 많이 늘었다. 그들의 초대로 일본과 홍콩에 가기도 했고, 반대로 한국을 방문하는 외국 친구들도 생겨났다.

2001년 스위스를 시작으로 프랑스, 체코, 이탈리아 등지를 여행하고 돌아와서부터는 '한국에서 태어났다고 한국에서 평생 살아야 하나?' 하는 의문을 갖기 시작했다. 그리하여 좀 더 넓은 세계를 보기 위해 학기 중에는 죽어라 아르바이트를 해서 돈을 모으고, 방학 때는 그 돈을 탈탈 털어 여행을 다녔다. 여행을 하면서 다양한 방식으로 사는 사람들의 모습에 매료되었고, 단순한 관광객이 아닌 현지인으로 살아보고 싶다는 생각에 이르렀다. 마침 대학교에서 주관하는 교환학생 프로그램은 놓칠 수 없는 기회였고 나는 호주로 가게 되었다.

끝도 없이 펼쳐진 녹색 캠퍼스에서 캥거루들과 함께 조깅을 하고, 돼지고기보다 싼 양질의 쇠고기로 매일같이 스테이크를 해 먹던 멜버른의 일상은 꿈만 같았다. 그러나 그보다 좋았던 것은 호주뿐 아니라 유럽, 중남미 그리고 아시아 등 다양한 나라의 친구들과 함께 지낸다는 점이었다. 처음에는 전혀 다른 문화권에서 온 친구들이 신기하면서도 낯설게 느껴졌다. 그러나 다들 타국에 와 있는 처지여서인지 금세 마음의 벽을 허물고 친해졌다.

살아온 배경, 문화, 가치관이 제각기인 사람들이 함께 어울리는 그곳에는 '틀림'은 없고 '다름'만 존재할 뿐이었다. 그 '다름'을 인정하고 존중하는 문화가 어느덧 내게도 숨 쉬는 것처럼 편안해졌다. 교환학생 기간이 끝나면서 그간 정들었던 친구들과 헤어지는 것이 아쉬워 독일, 노르웨이, 프랑스, 이탈리아, 크로아티아, 멕시코, 칠레, 콜롬비아에서 온 친구 12명과 함께 케언스에서 브리즈번까지 호주 동부 해안을 일주했다.

그레이트 배리어 리프에서의 스쿠버다이빙과 휘트선데이 제도에서의 항해, 지프차를 타고 캠핑을 했던 프레이저 섬에서의 모험은 지금도 입가에 미소를 짓게 하는 꿈같은 시간이었다. 호주 여행을 마치고는 내친 김에 뉴질랜드, 태국, 캄보디아, 베트남까지 여행했다.

뉴질랜드 퀸스타운에서는 108미터 계곡에서 뛰어내리고 산악자전거를 타다 다치기도 했다. 캄보디아 프놈펜에서는 납치당할 뻔한 위기를 모면했고, 베트남에서는 고산족인 몽족과 함께 생활하기도 하며 3개월간의 배낭여행을 마치고 한국에 돌아왔다. 까맣게 탄

피부에다 머리카락을 한 가닥 한 가닥 딴 콘로 헤어스타일의 겉모습만큼이나 생각도 많이 달라졌다. 까만 머리로 가득한 한국이 답답하게 느껴지면서 의문이 들기 시작했다.

'세상엔 빨간 머리, 금발 머리, 레게 머리도 있는데 평생 까만 머리로만 살 필요가 있을까? 한국에서 태어났다고 평생 한국에서 살아야 하는 걸까?'

그러한 의문은 진로에 대한 고민으로 이어졌다. 이 세상의 변화를 전달하는 기자가 되고 싶다는 꿈 하나에 모든 걸 걸고 악착같이 공부해 대학에 들어왔고, 2000년에는 최연소 인터넷 기자로 활동하던 동아일보에서 '2000년 최고 인터넷 기사상'을 받으며 실력도 인정받았다. 이대로라면 기자라는 내 꿈에 곧 도달할 수 있을 것 같았다. 하지만 더 큰 세계를 경험해 보고 싶다는 또 다른 꿈이 생긴 이상 궤도 수정이 필요했다.

'기자가 되어 많은 사람들을 인터뷰하고 다니는 것도 좋지만 기자들이 인터뷰하고 싶은 사람이 되면 어떨까? 변화를 전달하는 사람이 아니라, 변화를 만드는 사람이 되는 거야!'라는 막연한 생각으로 기자의 꿈을 내려놓았다. 간디도 "당신이 이 세상에서 원하는 변화 자체가 되십시오Be the change you want to see in the world"라고 말하지 않았던가.

그러나 막상 무엇을 해야 할지 막막했다. 외교관? 그러면 외무고시를 봐야 하는데 세상으로 뛰쳐나가고 싶은 열망으로 가득한 내가 도서관에 틀어박혀 몇 년간 공부를 한다는 건 상상도 할 수 없었다. UN 같은 국제기구 근무, 여행 기자나 작가는 어떨까도 생각해보았다. 하지만 사람들에게 조언을 구할 때마다 모두 하나같이 고개를 내저었다.

"한국인이 UN에 들어가는 건 바늘구멍에 낙타가 들어가는 것과 같아."

"여행 전문 기자나 여행 작가는 모든 기자의 꿈이지만 그걸 이루는 사람은 거의 없어."

지금이야 이런 부정적인 이야기에 코웃음을 치겠지만 그때는 이런 말을 들을 때마다 심각하게 좌절했다. '내가 진정 원하는 삶은 무엇인가'에 대한 기나긴 고민이 이어졌다. 하지만 내가 일으키고 싶은 변화가 과연 무엇인지 감이 잡히질 않았다. 전공을 선택할 때도 신문방송학과나 사회학과가 아닌 '나중에 먹고살기 힘들면 번역이나 하지 뭐'라는 즉흥적인 생각에 영어영문학과로 결정해버릴 만큼 미래에 대해 불안해했다.

세계를 무대로 활동하고 싶었지만 정확히 무엇을 하고 싶은지, 무엇을 해야 할지 몰라 방황하는 시간의 연속이었다. 하지만 역마살이 단단히 들어버렸는지 한국은 너무 좁다며 몸부림치는 나를 기다리는 것은 취업의 현실이었다.

답답함과 고민으로 가득했던 4학년 1학기가 지나고 진짜 졸업반이 되었다. 친구들 사이에는 대기업과 은행권 취업이 마치 인생의 성공을 보장하는 것 같은 공감대가 형성되었다. 외국에서 살다와 영어가 유창하고 스펙이 화려한 친구들은 돈을 많이 준다는 투자은행이나 컨설팅 회사에 지원했다. 마음이 급해진 나도 토익과 토플 시험을 보고 여기저기 입사 원서를 썼다. 하지만 지원한 회사들로부터 "죄송합니다. 탈락입니다"라는 메시지만 계속 받았다.

오랫동안 마음에 두었던 런던으로 무작정 가버릴지, 아니면 일단 한국에서 취업을 하고 경력을 쌓다가 가야 할지 망설이는 동안 2학기도 지나버렸다. 새로운 구직 정보가 올라왔나 취업 사이트를 뒤지는 하루가 매일매일 이어졌다. 50여 군데 회사에 지원을 했지만 단 한 군데서도 최종 합격 통보를 받지 못했다. 신기한 점은 정말 가고 싶은 회사들에서는 인터뷰 연락을 받았지만, '그냥 일단 써보자'하고 지원한 회사들의 경우 줄줄이 서류전형에서 낙방한 것이다. 그 회사에 대해 아무런 열정도, 애정도 없는 것이 원서에 그대로 나타났으리라.

미래에 대한 고민이 계속된 가운데 매일 불합격 통지를 받으니 스트레스가 극에 달했고, 무언가 먹고 있을 때라야 좀 진정이 되었다. 그렇게 몇 달을 보내고 추석 때 고향집에 내려갔더니 엄마는 "아니, 취업 준비한다고 다른 애들은 일부러 다이어트도 한다는데 너는 어떻게 살이 더 쪘니?" 하며 걱정스러운 눈빛을 보냈다.

엄마의 말에 비로소 그동안 늘어난 뱃살이 눈에 들어왔다. 충격을 받고 한 달간 망연자실해 있다가 정신을 차려 다이어트를 감행

했다. 요가와 생식을 하면서 3개월 만에 자연스럽게 10킬로그램을 감량했다. 다이어트 효과는 물론 늘 끓어오르는 에너지를 주체 못해 하루에도 수십 번씩 천국과 지옥을 오가던 마음도 차분해졌다.

욕심을 버리고 마음을 비웠을 때, 친구가 경영학과 학회 홈페이지에 골드만삭스 구인 광고가 났다면서 연락처를 알려주었다. 바로 이력서를 보냈는데 인터뷰를 하자는 연락이 왔다.

내가 얼마나 똑똑하고 잘난 인간인지 보여주려고 발악하던 예전과 달리, 욕심을 버리고 차분하게 있는 그대로의 내 모습을 보여주기로 했다. 무려 9번의 인터뷰를 마치고 난 뒤 기진맥진해 있을 때, 놀랍게도 "김수영 씨와 함께 일하고 싶습니다"라는 소식을 들었다.

'해외 유학파 출신 아니면 못 간다' 'SKY 상경대를 나와도 인터뷰 기회조차 얻을 수 없다'던 골드만삭스 아닌가. 취업 때문에 힘들었던 1년의 시간이 주마등처럼 스치며 세상 모든 걸 가진 것처럼 감격스러웠다.

'그래, 내친 김에 골드만삭스에서 성공한 뒤 하버드 MBA도 하고, 세계은행 총재도 하고 할 건 다 해보자. 그래서 세상 사람들한테 보여주자. 아이비리그 안 나오고도, 아니 상고를 나온 나도 해냈다는 걸' 하는 열의에 타올랐다.

73개의 꿈을 찾아
골드만삭스를 떠나다

"안녕하세요, 저는 온스타일이라는 케이블 TV의 〈싱글즈 인 서울〉 프로그램 작가입니다. 저희 프로그램 아시나요? 저희가 시즌 2를 만드는데, 이번 주제가 당당하게 살아가는 20~30대 커리어 우먼이에요. 출연자를 찾던 중 아는 분이 김수영 씨를 추천했습니다. 이번에 골드만삭스에 들어가셨다고요. 입사한 지 얼마 안 되었다고는 들었지만 그래도 한번 출연해볼 생각 있으신가요?"

병원에 갔다 오는 버스 안에서 애써 울음을 참고 있던 중이었다. 휴대전화를 들고 있을 힘조차도 없던 나는 겨우겨우 목소리를 내어 거절했다. 삶이란 롤러코스터 같은 것인지 세상 모든 것을 이룰 수 있을 것만 같았던 그 시점, 운명은 다시 땅으로 곤두박질치고 있었다. 건강검진을 받다가 뭔가 이상한 느낌이 들어 따로 검사를 받았는데 몸에서 암세포가 발견된 것이다.

"암으로 진행되기 직전이군요. 암 0기입니다. 절제 수술을 받아야 하구요. 어쩌면 다른 부위에 이미 퍼져 있을지도 몰라요."

의사 선생님 말에 하늘이 노래진다는 것을 체감했다. 사실 초기에 발견한 것은 어쩌면 인생 최대의 행운일지도 모른다. 하지만 평생 이렇게 젊고 건강하게 살 것만 같았던 내가 죽을 수도 있다는 것이, 내 인생이 언젠가 끝날 수도 있다는 사실 자체가 너무나 큰 충격이라서 나도 모르게 바닥에 주저앉아버렸다.

'말도 안 돼. 내가 얼마나 열심히 살았는데. 그래, 한때 나쁜 일도 많이 했지만 그래서 더 노력했고, 가진 것 하나 없어도 나보다 더 힘든 사람들을 도와주려고 애썼어. 아직 25년밖에 안 살았는데 어떻게 이럴 수가 있지? 억울해. 정말 억울해....... 부모님께 효도도 해야 하는데 정말 왜.......'

TV 출연은커녕 애써 마음을 추스르고 출근을 했다. 겉으로는 웃고 있었지만 마음속으로는 엉엉 울었다. 일이 손에 잡히질 않았다. 주말에 수술을 잡는 것은 불가능했고, 새파란 신입이 입사하자마자 휴가를 쓰는 것은 말도 안 돼 치과에 간다고 말하고 근무중에 병원에 가서 수술을 받고 왔다. 돌아와서 마취가 채 깨지도 않은 상태로 일을 하다가 실수를 했는데, 혼이 나면서도 제정신이 아니었고 눈이 감겨왔다.

수술은 성공적이었다. 그러나 정신적 후유증이 너무 컸다. 방황했던 중학교 시절에도 죽을 고비를 숱하게 넘겼지만, 그때는 상황의 심각성을 몰랐고 잃을 것도 없어 두렵지 않았다. 하지만 이제 나는 아무것도 잃고 싶지 않았다. 한동안 건강 관련 서적을 독파했고, 매일 암 환자용 식단으로 도시락을 싸서 다녔더니 아무것도 모르는 동료들은 나를 '웰빙녀'라고 불렀다. 하지만 죽음이 언제 다가올지 모른다는 걸 깨달으니 삶을 바라보는 태도는 완전히 바뀌었다.

'오늘 하루가 어쩌면 인생의 마지막 날일 수도 있어. 미래의 성공을 추구하면서 정작 오늘 행복하지 않다면 그게 무슨 의미가 있을까. 어떻게 하면 매일매일 행복할 수 있을까?'

짧다면 짧고 길다면 길었던 골드만삭스에서의 9개월은 '한 번뿐인 인생을 어떻게 살아야 할 것인가'에 대한 고민의 연속이었다. 매일매일 모니터 안에서는 수백억이 왔다 갔다 했지만 내게는 아무런 의미가 없었다. 멍하니 천장을 바라보면서 예전에 배낭여행을 하다가 흙먼지 나는 씨엠립을 덜컹거리며 달리던 픽업트럭 뒤 칸에서 떠오르는 태양을 바라보며 감격했던 기억을 떠올렸다. 불과 몇 달 전까지 품었던 지구별 유랑의 꿈이 다시 눈앞에 어른거렸다.

앞으로 내 앞에 펼쳐진 인생은 어떤 모습일까....... 머릿속에 수도 없는 상상들이 펼쳐졌다. 인도에 가서 명상을 할까, 돈 떨어질 때까지 배낭여행을 할까, 아니면 얌전히 회사나 다닐까 하는 생각들이 꼬리에 꼬리를 물어 답답하기 짝이 없었다. 심지어 사주, 관상, 점성술까지 보고 다녔다. 신기하게도 다들 내게 '역마살'이 꼈다고 했다.

끝도 없는 고민을 하던 무렵, 살면서 하고 싶은 일을 모두 적어보기로 했고 73가지를 써내려갔다. 개중에는 '중매쟁이 되기' 같은 엉뚱한 것들도 있었지만, 모두 내가 하고 싶은 것과 나를 행복하게 만드는 것들이었다. 그 73가지 목표에 중요도와 목표 기한을 매겼고, 이 두 가지 조건을 기준으로 정렬을 했다. 목록의 첫 번째는 바로 한국을 떠나 세계로 진출하는 것이었다.

'한 번뿐인 인생, 태어난 곳에서 평생 살 필요가 있을까? 벌써 25년, 인생의 3분의 1 가까이 한국에서 살았으니 다음 3분의 1은 세계의 여기저기를 돌아다니자. 그리고 마지막 3분의 1은 내가 가장 사랑하는 곳에서 사는 거야.'

사람들은 어디에서 와서 어디로 가는가, 그리고 무엇을 위해 끊임없이 이동하며 어떻게 살아가는가…… 숱한 의문 끝에 아예 이 분야에 대해 공부를 해보자고 결심했다. 영국에 있는 친구의 추천으로 런던대학교 동양아프리카학과SOAS: School of Oriental and African Studies, University of London의 이민과 이주Migration and Diaspora라는 석사과정에 지원하고 입학허가를 받았다. 인생의 두 번째 여정 중 첫 행선지를 영국 런던으로 결정했고, 결심이 흔들리지 않게 일주일 뒤 바로 런던으로 가는 비행기를 예약했다. 그리고 유럽을 시작으로 5년 정도를 주기로 대륙을 바꿔보기로 계획을 세웠다.

이미 한국을 떠나기로 결심했고 비행기 표까지 예약했지만, 힘들게 들어왔고 애정을 가졌던 회사인 만큼 그냥 떠나기는 너무 아쉬웠다. 골드만삭스 퇴사를 며칠 남겨둔 어느 날, 평소 존경하던 상무님께 한 시간만 시간을 내달라고 부탁을 드렸다.

"제가 사실 상무님을 많이 존경하거든요. 회사 떠나기 전에 한번 이야기를 나눠보고 싶었어요."

상무님은 흔쾌히 내 부탁을 들어주셨고, 그분에게 나의 무모하기 짝이 없는 계획과 인생의 꿈에 대해 주저리주저리 털어놓았다.

"수영 씨는 나보다 훨씬 더 성공할 것 같군요."

의외의 답변이었다.

"내 친구 중에 은행에 말단 직원으로 입사했지만 10년 뒤 피델리티 펀드매니저가 될 거라던 녀석이 있었어요. 다들 비웃었지만 그 친구는 10년 뒤 진짜로 피델리티 펀드매니저가 됐죠. 수영씨도 분명히 지금 꿈꾸는 삶을 살게 될 거예요."

이런저런 격려의 말씀을 하시던 상무님이 갑자기 "그런데...... 사실은 이번에 내 밑으로 트레이더를 한 명 뽑으려고 하는데 혹시 수영씨가 올 생각은 없어요?"라며 생각지도 못한 제안을 하셨다. 순간 말이 나오지 않아 일단 생각해보고 말씀드리겠다고 얼버무리며 자리에서 일어났다. 그런데 집으로 돌아오는 길에 예전에 원서를 냈던 맥킨지에서도 인터뷰를 하고 싶다는 전화가 왔다.

머리가 복잡했다. 골드만삭스 트레이더와 맥킨지 컨설턴트라면 그야말로 모든 대학생과 직장인들의 로망이요, 성공의 지름길 아닌가. 이성적으로라면 영국행을 포기하고 골드만삭스나 맥킨지 둘 중 하나를 선택하는 것이 백번 천번 옳다. 아무런 미래가 보장되어 있지 않은, 달랑 대학원 자리 하나 있는 영국에 간다는 건 무모한 짓이었다. 밤새 뒤척이며 고민했지만 결론은 하나였다.

'영국으로 떠나자.'

난 적어도 나 자신을 알았다. 결국 가지 않은 길에 미련이 남아 현실에 만족하지 못하리라는 것을. 이미 내 꿈을 쭉 적어놓고 최우선 순위로 한국을 떠나기로 한 마당에 다시 마음을 고쳐먹고 한국에 머무른다면, 아무리 좋은 직업이라도 마음속에 남아 있는 미련에 발목을 붙잡혀 충실하지 못할 것만 같았다. 어찌 보면 무모하기 짝이 없지만, 난 '가지 않은 길'을 선택했다.

"수영 씨, 생각 좀 해봤어요? 난 수영 씨만 오케이하면……"

골드만삭스에서의 마지막 날, 상무님께 걸려온 전화에 힘겹게 내 결정을 말씀드렸다.

일주일의 시간이 어떻게 지났는지 모르게 가버렸다. 짐을 정리하고 친구들에게도 작별 인사를 했다. 무엇보다 부모님이 마음에 걸렸다. 이제야 대학 졸업하고 본인들을 부양하나 싶었는데 무작정 외국으로 가면 자신들은 어떡하느냐고 걱정하시는 부모님을 뒤로 하고 떠나며 '내가 부모님께 정말 몹쓸 짓을 하는구나' 하는 생각에 마음이 아팠다. 젖은 솜처럼 마음이 눈물로 젖어버려 쨍쨍한 햇볕에 며칠을 말려도 마르지 않을 것만 같았다.

비행기에 오르는 순간까지 수십 번, 아니 수백 번 '그냥 돌아갈까' 하는 생각이 들었다. 하지만 그때마다 살면서 하고 싶은 일 73가지 목록을 떠올렸다.

'난 지금 73가지 꿈 중 그 첫 번째를 이루고 있는 거야……'

비행기가 하늘을 향해 힘차게 오르는 순간, 내 인생의 제2막이 시작되고 있었다.

성공한 사람보다
아름다운 사람이 되고 싶다

"수영아, 시험공부 다 끝냈어?"

"지금 몇 시지? 어? 벌써 새벽 2시네."

"야, 너 지금까지 공부 안 하고 책을 본 거야? 미쳤어?"

"조금만 읽고 공부하려고 했는데, 큰일 났다."

대학교 2학년 2학기 중간고사 기간, 우연히 도서관에서 한비야 씨의 책 〈걸어서 지구 세 바퀴 반〉을 발견했다. 시험 끝나면 읽어야지 하고 빌렸다가 밤새 책을 덮지 못했고, 결국 중요한 시험을 망쳤다. 그래도 내 가슴속에는 후회보다는 설렘이 가득했다. '세상에 내가 들어 보지도 못한 이런 곳에서 사람들은 이렇게 다양한 모습으로 살아가고 있구나. 그리고 이렇게 용감하게 그들과 교류하며 열정적으로 인생을 살아가는 사람도 있구나' 하며 감탄했다. 몇 년 뒤 그분이 학교에 와서 강연을 했을 때, 나는 제일 먼저 뛰어가 맨 앞자리에 앉아 한 마디라도 놓칠세라 귀를 기울였다. 그날 강연에서 들은 "낯선 곳에서 새로운 아침을 만나보세요"라는 말은 오랫동안 뇌리에 남았다.

지구별을 탐험하는 방법에도 여러 가지가 있다는 사실을 깨달은 것은 버진그룹 창립자인 리처드 브랜슨의 자서전을 읽으면서였다. 일찍이 중학교를 자퇴한 그는 열여섯 살에 잡지를 창간했으며, 이후 음악 앨범 우편 판매사업을 시작으로 섹스피스톨즈 등 유명가수들을 탄생시킨 음반사를 키워냈다. 또한 항공사, 기차, 이동통신, 금융에 이르기까지 현재 360개가 넘는 계열사를 가진 버진 제국을 일궈냈다.

하지만 무엇보다도 나의 흥미를 당긴 것은 리처드 브랜슨의 끝없는 모험정신이다. 열기구를 타고 전 세계를 비행하고, 스피드보트로 대서양을 이틀 만에 항해하고, 배와 비행기를 결합시킨 수륙양용기로 한 시간 40분만에 영국해협을 횡단하는 등 그의 모험은 더하면 더했지 멈추질 않았다. 그의 끝없는 엉뚱한 행보를 보면서 '상상력이야말로 성공의 원천이지 않을까? 빌 게이츠 같은 천재나 잭 웰치 같은 전략형 CEO보다는 브랜슨처럼 재미있게 성공하고 싶다'고 생각했다.

화려한 삶을 살아가는 리처드 브랜슨과 정반대로 살았지만 내게 큰 인상을 준 또 다른 기업가가 있다. 바로 경영학 수업 시간에 케이스 스터디를 하며 접한 더바디샵의 창립자 아니타 로딕이다. 영국에서 태어난 그녀는 전 세계를 여행한 뒤 결혼하여 남편 고든 로딕과 레스토랑, 호텔을 운영하며 아이를 키우던, 평범하다면 평범한 주부 사업가였다.

남편이 평생소원을 이루기 위해 말 한 마리 타고 칠레에서 멕시코까지 여행을 떠난 사이, 그녀는 아이들을 키우기 위해 브라이턴에 작은 가게를 차려 자연주의 화장품을 팔기 시작했다. 그 작은 가게를 전 세계 61개 나라에 2,400개의 매장(2010년 기준)을 가진 세계적 기업으로 성장시키면서도 '자아 존중, 동물 실험 반대, 인권과 환경 보호'의 정신을 지켜낸 것은 그녀의 올곧은 가치관에 기반을 두었기 때문이 아니었을까? 그녀를 보면서 비즈니스와 사회 공헌을 조화시킬 수도 있음을 깨달았다.

발등에 불 떨어진 것처럼 취업을 위해 아등바등하던 대학 4학년 시절, 런던에 가고 싶다고 생각한 것은 아마도 그렇게 하나둘씩 롤모델을 정해가며 무의식적으로 그들의 발자취를 따라 내 인생을 설계했기 때문인 것 같다. 또 호주에서 교환학생 시절 만났던 유럽 친구들이 런던에서 다양한 일을 하며 지내는 모습도 '나도 런던에서 취업을 해보는 게 어떨까?' 하는 생각에 불을 붙였다. 확실한 계획도 없으면서 대학 재학 시절 대학내일 신문과의 인터뷰에서 "영국에 가서 비즈니스를 배우고 싶어요"라고 말했던 것도 롤모델의 절반만 따라가도 성공이라는 생각에서 나온 배짱이 아니었을까.

무식하면 용감하다고, 4학년 여름방학 때 과외로 모은 피 같은 돈으로 비행기 표를 사서 런던으로 날아갔고, 세계적인 금융회사들로 고층 빌딩숲을 이루는 카나리워프Canary Wharf에 이력서가 든 봉투를 들고 서성거렸다. 전 세계 인종의 집합소 같은 그곳에서 말끔한 정장을 입고 성공의 눈빛이 이글거리는 이들이 회사 일을 마치고 강가의 바에서 와인 잔을 기울이는 모습을 한없이 부러워하며 바라보았다. 나도 언젠가 런던의 커리어 우먼이 되어 당당하게 펍에서 술을 마셔보겠다는 목표를 세우며...... 하지만 무슨 일을 하고 싶은지 나 자신도 정확히 모르는 상태라서 어디서부터 어떻게 시작해야 할지 막막하기 짝이 없었다.

'그냥 다짜고짜 인사담당자를 찾아 갈까? 만나서 무슨 얘기를 하지? 그들이 왜 나를 뽑아야 하지? 아무런 경력도 없고 한국에서 막 날아온 나 같은 뜨내기를?'

무작정 런던에 왔지만 솔직히 자신이 없었다. 여기저기 유명한 회사의 웹사이트와 영국 내 한인회 웹사이트의 구인 정보를 보고 지원하다가 출국 날짜가 다가와 버렸다. 준비와 자신감 부족이 낳은 실패였다.

그런데 한국에 돌아온 후 한국계 은행의 런던 지점에서 연락을 받았다. 내가 지원했다 떨어진 다른 회사를 통해 우연히 이력서와 자기 소개서를 받아보았는데 인상적이었다고, 6개월 계약직이지만 나만 괜찮다면 채용하고 싶다고 했다. 진심을 다해 솔직하게 쓴 자기소개서 덕분이었을까, 면접도 보지 않았는데 나를 채용하고 싶다니! 그러나 아직 한 학기가 남아 있었고, 비자문제가 걸려 제안을 받아들이진 못했다. 나의 첫 시도는 이렇게 끝났지만, 이는 해외 취업이 가능할 수도 있다는 희망의 씨앗을 심어주는 계기가 되었다.

눈앞에 놓인 인생의 수많은 갈림길에서 한 가지를 선택해야 할 때, 대부분의 사람은 논리적인 판단을 하지만 나는 꽤 즉흥적인 편이다. 무의식의 세계는 의식의 세계보다 한없이 깊고 넓으니, 나는 계산기를 두드려보기보다는 거침없이 내 가슴이 시키는 길을 따른다. 내 지구별 여행의 첫 정착지로 영국을 선택한 것도 자못 즉흥적인 것 같지만, 이는 리처드 브랜슨의 자서전을 접한 뒤부터 시작된 인연이 아닐까? 그로부터 3년 뒤, 펍에서 직장 동료들과 맥주잔을 기울이는, 한때는 동경해 마지않던 모습은 흔하디흔한 일상이 되었다.

롤모델을 따라 이렇게 전 세계를 돌아다닌 나는 그야말로 '따라쟁이'다. 물론 그들을 따라잡으려면 한참을 달려야 하지만, 계속해서 열심히 달리다 보면 앞으로의 지구별 여정도 그들만큼 신나고 유쾌하고 의미 있는 여행이 되지 않을까?

먼 나라의 롤모델뿐만 아니라 손에 잡히는 거리에서 도움을 주신 멘토 분들도 여럿 계시다. 특히 '나도 20년 후에 저런 모습으로 살 수 있다면!' 하고 감탄하고 존경해 마지않는 분이 있다. 바로

CEO Suite의 김은미 대표님이다.

그녀는 25년 전 서비스오피스 업계에 입문해 이를 천직으로 여기고 엄청난 실적을 올렸지만 호주 회사에서 동양인의 한계를 느끼고 인도네시아 자카르타에서 창업을 했다. 하필 그때 IMF가 터지며 화교를 타깃으로 한 방화와 약탈 등 온갖 범죄가 넘쳐나는 가운데 임신까지 한 그녀는 돌아갈 곳이 없다는 절박한 심정으로 차별화된 비즈니스를 개발해왔고 이제는 서울을 포함한 아시아 11개 도시에 21개 지점을 운영하고 있다.

하지만 내가 그녀를 존경하는 이유는 사업가로서의 성공 뿐만 아니라 여자로서, 엄마로서, 그리고 인간으로서 보여주는 지혜와 아름다움 때문이다. 아들과 대화를 나누기 위해 발마사지를 배우고, 탱고를 통해 여성성을 회복하며 남편과의 관계를 발전시키고, 독서와 명상을 통해 끝없이 자신을 성찰한다. 또 '배움의 농장'을 설립해 인도네시아 아이들에게 교육의 기회를 제공하고 모교 후배들을 위해 '김은미 장학재단'을 운영하는 그녀의 모습을 보며 나의 미래 또한 그려볼 수 있다. 인격에서 향기가 나는 그녀가 나의 롤모델이자 멘토인 것은 내게는 너무나 큰 행운이다. 나 역시 10년 후, 20년 후 그녀처럼 아름다운 사람이 될 수 있기를!

초라한 유학생, 다시 꿈을 찾다

~~~~~~

2005년 10월, 영국으로 향하는 비행기를 타고 가는 내내 젖은 솜 같던 마음이 런던공항에 도착하는 순간부터 새로운 인생에 대한 기대와 설렘으로 다시 뽀송뽀송해졌다. 푸른 잔디가 깔린 공원에서 카푸치노를 한 잔 마시며 심호흡을 했다. '오늘은 내 인생의 두 번째 3분의 1이 시작되는 날이야……'라고 생각하자 흩날리는 빗방울과 회색빛 도시마저 희망차게 느껴졌다.

대학원에서 친구들과 사귀고 수업을 듣고 바쁘게 지내며 런던 생활에 익숙해질 무렵, 한국에서 전세보증금까지 빼서 마련한 전 재산이 불과 두 달 만에 바닥을 향했다. 일단 아르바이트라도 해서 먹고살 돈을 마련해야겠다는 생각에 여기저기 아르바이트를 지원했는데 줄줄이 탈락이었다.

'한국에 있었더라면 골드만삭스의 트레이더가 되어 있을 텐데, 여기선 스타벅스에서도 떨어지는구나……'하는 생각에 처참한 기분이었다. '해보고 후회하는 것이 안 하고 후회하는 것보다 낫다'는 신조로 머리보다는 가슴을 따라 왔지만 내게 남겨진 건 냉혹한 현실이었다. 영국에 온 것이 후회되려는 순간, 눈을 감고 심호흡을 하며 애써 미래의 멋진 내 모습을 상상해보았다. 수많은 사람들 앞에서 강연하는 모습이 그려졌다. 힘든 순간이 있었지만 꿈이 있었기에 이를 극복할 수 있었다고 말하는 미래의 내 모습이.

눈을 뜬 나는 거울 앞으로 가서 내가 상상한 미래를 이야기하며 강연 연습을 했다. 한참 가상의 강연에 심취해 있는데 전화가 울렸다. 내가 지원한 아르바이트 중에 시급이 가장 높은 번역 아르바이트를 의뢰하는 전화였다. 그렇게 다행히 생활비 문제를 해결할 수 있었다.

방황하던 시기의 호기심 때문에 이민과 이주에 관한 주제로 석사 입학 허가를 받긴 했지만, 다시 인문학을 공부하면서 막막한 느낌에 부딪혔다. 내 꿈 목록에 '진짜 비즈니스 배우기' '사람들의 삶에 도움이 되는 사업하기'는 있어도 '문화인류학자 되기'는 없었으니까. 결국 석사 전공을 국제경영학으로 바꾸고 특화 지역을 중국, 일본, 중동 중에서 중국으로 선택했다. 아무래도 영국에서 동양인인 내가 경쟁력이 있으려면 세계 경제가 주목하는 중국을 알아야 한다는 판단에서였다.

석사과정은 교수의 이론 수업lecture 외에도 조교와의 토론 수업 tutorial으로 진행되었다. 서구권 출신 친구들은 교수의 가르침을 비판하기도 하고 여러 사례들을 들어가면서 토론을 하는 반면, 동양인들은 대부분 침묵을 지키고 있었다. 비슷한 문화권인 중국, 일본, 대만 등에서 유학 온 그들은 모범생 수재이거나 집이 부유한 경우가 많았는데, 어렸을 때부터 선생님과 부모님 말 잘 듣는 것을 미덕으로 여겨온지라 교수님이 하는 말 한마디 한마디를 깨알같이 받아 적고 달달 외웠다.

그러면 교수님은 "내가 수업 시간에 한 얘기 말고 본인 의견이 무엇인지를 말해보세요"라고 지적하곤 했다. 결국 최우수 졸업을 한 친구들은 열심히 노트 필기를 해가면서 도서관에서 매일같이 밤을 새우던 학생들이 아니라, 사회생활 경험이 풍부하고 평소 수업 시간에 교수님들의 가르침에 끊임없이 도전하고 질문하던 친구들이었다.

수업 시간에 내 의견을 분명히 밝히고 토론할수록 교수님으로부터 인정을 받으면서, 교사의 의견에 반론을 펼쳤다가 호되게 당했던 한국에서의 학교생활이 떠올랐다. 감히 교권에 반항한다고 수도 없이 맞고 미움을 받으며 학창시절을 보낸 나와 달리, 영미권 및 유럽 아이들은 어렸을 때부터 토론 문화에 길들여졌다. 상대방의 의견을 경청하는 것도 중요하지만, 그에 맞게 자신의 의견과 질문을 제시하는 것이 올바른 학습법이라는 것이다.

내가 만일 한국이 아닌 이곳에서 태어났더라면? 주어진 지식과 규칙을 있는 그대로 받아들이지 않고 그에 대해 질문하고 도전하는 것을 자연스럽게 받아주는 이런 사회에서 태어났더라도 한국에서처럼 문제아로 손가락질 받으며 방황했을까? 이런 생각에 이르자 내가 '전 지구적인 문제아'가 아니라 단지 '한국에서만 문제아'였다는 결론과 함께 허탈한 웃음이 나왔다.

그러던 어느 날, 같은 대학원 친구인 다니엘이 내게 부탁을 해왔다. 다니엘은 대학원을 다니면서 중국으로 영어 강사를 파견하는 사업을 하고 있었는데 갭이어(Gap Year : 흔히 고교 졸업 후 대학생활을 시작하기 전에 일을 하거나 해외여행을 하면서 보내는 1년) 박람회에 부스를 얻었다며 도와달라는 것이었다.

"다니엘, 내가 아직 중국에 대해 잘 알지도 못하는데 뭘 어떻게 도와달라는 거야? 그리고 중국 애들이 저렇게 많은데 왜 한국인인 나한테 도와달라는 거지?"

"중국 애들은 많아. 근데 너도 알다시피 걔들은 자기네들끼리만 몰려다니고 수업 시간에 보면 절대 한마디도 안 하지만 너는 늘 토론을 하잖아. 그러니까 네가 잘할 것 같아. 너 아니면 도와줄 사람이 없어. 정말 부탁한다."

부탁에 못 이겨 박람회 일을 도와주기로 했는데, 부스라고 해봤자 책상 하나에 단순하기 짝이 없는 플래카드가 전부였다. 박람회

이곳 저곳 유명한 회사들의 초대형 부스에서는 화려한 옷을 입은 도우미들이 선물을 나눠주고 있었다. 처음에는 사람들에게 어떻게 말을 걸어야 하나 망설였지만, 조금 지나자 구석에 자리한 우리 부스에 한 명이라도 지나치면 반가운 마음에 그들을 붙잡고 말을 건넸다.

"중국에서 새로운 운명을 개척해보세요! 세계의 미래가 그곳에 있답니다" 하고 말을 건네면, 다들 정색하며 "No"를 연발하고 서둘러 자리를 피했다. 계속되는 "No"에 지쳐갈 무렵, 나는 질문을 바꾸기로 했다.

"오늘 무엇을 얻기 위해 이 박람회에 오셨나요?"

각양각색의 대답이 나왔다. 은퇴를 했지만 계속 일을 하고 싶어서, 군대에서 8년이나 있었는데 이제 변화를 주고 싶지만 무엇부터 시작해야 할지 모르겠어서, 사업에 실패했는데 새롭게 시작해보고 싶어서....... 나는 그들의 이야기에 귀기울였고, 새로운 삶에 도전해보라며 진심으로 조언을 해주었다. 그렇게 하루 만에 50명의 연락처를 받았고, 몇 달 뒤에는 실제로 10여 명이 중국으로 갔다. 몇몇은 다니엘을 찾아와 이렇게 물었다고 한다.

"아니, 그때 박람회에서 본 아가씨는 어디 갔어요? 그 아가씨 때문에 찾아온 건데......."

삶의 변화를 갈망하지만 어디서부터 시작해야 할지 모르는 그들을 보면서 한국을 벗어나면 무엇이든 될 것 같은 생각에 사로잡혔던 몇 달 전의 내 모습이 떠올랐다. 무모함 하나로 일생일대의 결정을 내리긴 했지만, 다른 나라에 간다고 해서 자동으로 이루어지는 일은 없었다. 한국이든 외국이든 결국 자신이 원하는 것을 깨닫고 제 스스로 갈 길을 찾아가야 하는 건 다르지 않았다.

외국에 간다는 것 자체가 목표가 아니라 목표를 이루기 위해 외국에 가는 것임을 깨달았고, '무엇을 이루기 위해 영국에 와 있는 걸까?' 하는 고민을 하기 시작했다. 불과 몇 년 전 "비즈니스를 배우기 위해 영국에 갈까 해요"라고 인터뷰를 했던 내가 아닌가. 아니타 로딕처럼 사람들의 삶에 도움이 되는 비즈니스를 리처드 브랜슨처럼 유쾌하게 하겠다고. 일단 내 사업을 시작하기 이전에 삶의 현장에서 배워야겠다는 생각이 들었다.

진짜 비즈니스를 배우는 데는 수많은 방법이 있겠지만, 결국은 삶의 현장으로 뛰어들어야 할 것 아닌가. 비록 잠시 샛길로 빠지긴 했어도 내 꿈을 향해 가는 방향은 옳았고, 그 길을 향해 한 발짝 더 내딛기 위해서 예전부터 준비해왔던 '현지 취업'이라는 목표는 너무나 자연스러운 것이었다. 커리어 우먼이 되어 거리를 당당하게 걸어가는 내 모습을 상상하자 잠시나마 우울해한 나 자신이 부끄러웠다.

한편으로 '비록 내가 한국에서 온 지 얼마 안 되고 영어도 서툴지만 영국인들에게 다니엘의 서비스를 팔았듯이 이제 세계라는 무대에서 나라는 인재를 팔 수 있을 거야'하는 자신감이 생겼다. 또한 내가 얼마나 잘난 사람인지만을 강조하는 게 아니라, 그 회사는 어떠한 비전을 가지고 무슨 일을 하며 그들이 원하는 인재상과 내가 맞는지를 철저하게 알아보았다. 그리고 무엇보다 내가 원하는 일인가, 내가 열정을 가지고 할 수 있는 일인가를 고민하며 한 단계 한 단계 밟아 가기로 했다. 그러고 나자 '영국에 온 것을 후회하는가?'라는 질문에 당당히 아니라고 말할 수 있게 되었다.

'그래, 지금 이 순간 나 자신이 초라하다고 해서 계속 가난하고 초라한 유학생에 머무르지는 않을 거야. 멋진 커리어 우먼이 되어 전 세계를 돌아다니며 열심히 일하고 즐기는 열정적인 삶을 살 테니까.'

나는 10년 전의 내 모습을 떠올려보았다. 그때만 해도 외국에 나간다는 것은 상상조차 할 수 없었고, 당장 한 치 앞 미래조차도 보이지 않는 암흑기를 살고 있지 않았나. 그랬던 내가 내 힘으로 대학을 졸업했고, 골드만삭스를 거쳐 영국 유학까지 왔다. 그때의 내 모습과 지금의 나를 비교하는 것만으로도 세상에 불가능한 일이란 없음을 다시 한 번 깨달았고, 앞으로는 더 나은 미래만이 남아 있다는 생각이 들자 마음에 위로가 되었다.

나는 외국에 가면 모든 것이 해결될 거라는 환상을 가진 사람들에게 종종 이메일을 받는다. 이런 사람들은 대개 자신이 진정 원하는 바가 무엇이며 하고 싶은 일이 무엇인지 모르기 때문에 현실의 벽에 부딪혀 좌절할 무렵, 외국에 가면 달라질 것이라는 환상을 도

피처로 삼는 듯하다. 나 또한 그 경험을 해보았지만 결국 가장 효과적인 해결책은 자신의 꿈이 무엇인지, 그 꿈을 실현하려면 어디서 어떻게 무엇을 해야 할지 생각해보는 것이다.

외국에서 삶을 새로 시작한다는 것은 여행과 다르다. 누가 알아서 잠자리를 제공하고 먹을 것을 주고 구경시켜주는 것이 아니라, 모든 것을 혼자 힘으로 개척해나가야 한다. 외국에서 나가 살더라도 현실의 문제들이 완전히 해결될 리 없다. 중요한 것은 '어디'가 아니라 '왜' '무엇'을, '누구'와, '어떻게'가 아닐까.

세계의 바다에서
희망의 조개를 줍다

박람회에서 다니엘을 도와주고 나서 다시 영국에서의 취업 준비에 집중했고, 대학교 4학년 시절로 돌아간 것처럼 구직 사이트를 뒤지며 하루를 시작했다. 여기저기 취업 박람회를 찾아다니고, 웹 사이트에 이력서를 등록하고, 학교에서 열리는 취업 설명회에 다니기 시작했다. 석사 기간 내내 공부보다는 취업준비를 더 했다고 말할 수 있을 정도로 100여 곳의 회사에 닥치는 대로 지원했다.

'골드만삭스'라는 이름값 덕분일까. 취업 준비를 시작한 지 얼마 되지 않아 JP모건에서 인터뷰 연락을 받았다. 대기실에는 올리브오일을 바른 듯 번지르르하게 머리를 넘긴 금발의 남자들이 파이낸셜 타임스를 옆구리에 끼고 대화를 나누고 있었다.

"안녕, 난 캠브리지에서 왔어. 모건스탠리와 맥킨지에서 인턴십을 했고. 넌?"

"어, 나도 캠브리지인데 무슨 칼리지니? 나는 트리니티칼리지. 나는 지난 여름 보스턴컨설팅그룹의 런던 오피스, 그리고 작년에는 홍콩에 있는 HSBC에서 인턴십을 했어."

그 자리에서 바로 주눅이 들어버린 나는 자신감을 상실했고 인터뷰에 들어가서 '오버'로 나타나기 시작했다.

첫 번째 스페인 출신 인터뷰어 앞에서는 내가 갑자기 미쳤는지 잘 하지도 못하는 스페인어를 몇 마디 했다가 바로 막혔다. 두번째 인터뷰에서는 군대에 몇 년 있었다는 건장한 흑인 여자 인터뷰어가 "트레킹이 취미? 어디를 올랐죠? 난 지난달에 킬리만자로에 갔다 왔는데……" 하자, "어머! 정말 멋져요! 전 베트남과 중국 사이에 있는 사파라는 곳에서 고산족들과 생활을 했어요……'라며 한참 딴소리를 하기도 했다.

마지막 인터뷰어가 요르단 사람인 걸 보고는 절박해진 나머지 "제가 이슬람교로 개종하려고 하는데, 회사에 기도실이 있나요?"라는 말도 안 되는 질문이 갑자기 튀어나왔다. 사실 종교 이야기는 인터뷰에서 꺼내면 안 되는 터부다. 그럼에도 그는 진지하게 "저 건물 보이죠? 저기에 기도실이 있어요" 하고 대답해주었다. 하지만 역시나 결과는 탈락. 첫술에 배부를까마는 첫 인터뷰에서 그렇게 허무하게 떨어진 것을 시작으로 수십 번의 인터뷰에서 탈락하고 말았다.

한번은 런던에 주재한 한국의 한 재벌 그룹 증권사의 유럽 세일즈 자리가 나서 면접을 보러 갔다. 외국까지 와서 한국 회사에 지원한다는 사실이 조금 마음에 걸렸지만, 세일즈 업무에 관심이 많았고 무엇보다 매일같이 불합격 통지를 받아서 찬밥 더운밥 가릴 처지가 아니었다.

인터뷰에 들어가자 유럽 지사 법인장과 영업부장이 자신의 소개도 제대로 하지 않은 채 반말로 "부모님은 살아 계셔? 아버님 성함이 어떻게 되고 무슨 일을 하시지?" "고향은 어디야?" "고등학교는 어디 나왔어?" 등 개인적 질문을 퍼부었다. "영국에 얼마나 살았어? 6개월? 영어는 제대로 하니?"라고 묻기에 영어로 대화를 시작했더니, "시골 출신치고 영어는 좀 하네?"라며 비웃었다. 그것도 모자랐는지 "교환 학생을 호주로 갔어? 공부 어지간히 못했나 보네"하며 또다시 인신공격을 했다.

점점 불편해지는 심기를 꾹꾹 누르며 애써 미소를 짓고 있었는데, "비자는 어떻게 돼? 우린 취업비자 못해주는데 어쩔 거야?"라는 질문에 당황할 수밖에 없었다. 구인광고에는 그런 언급이 없었기에 취업비자가 나올 거라 생각했기 때문이다. 하지만 그렇다고 여기까지 왔는데 "아, 그래요? 알겠습니다"하고 돌아갈 수는 없지 않은가. 기왕 온 거 인터뷰는 끝까지 보자고 결심했다.

그렇지만 계속되는 안하무인격 인터뷰 속에서 불이라도 난 것처럼 부글부글 끓어올랐다. 이런 내 심정을 아는지 모르는지 영업부장이라는 사람은 계속해서 "우리 일은 좀 힘들어서 웬만한 여자들은 하기 힘들어"라는 말을 몇 번이고 강조했다. 내가 잘할 수 있다고 해도 계속해서 "뭐, 말은 그렇게 해도 여자들이 하기는 힘들다니까. 네가 세일즈 일을 해봤어? 알지도 못하면서 쉽게 말하지 마"라며 쐐기를 박았다.

어찌나 치가 떨리는지 나도 모르게 책상 아래로 주먹을 불끈 쥐고 있었다. 면접을 보는 한 시간 내내 나의 능력에 관한 질문은 전혀 없었다. 계속되는 사생활에 대한 질문과 여자라서 안 된다는 둥 말도 안 되는 소리를 해대는, 기본도 안 되어 있는 인간들이 유럽 법인 지사장과 영업부장이라니 그 회사가 너무도 한심하게 느껴졌다.

인터뷰를 마치고 나오며 정말 아무리 생각해도 이건 아니라는 생각이 들었다. 그들이 했던 성차별적인 질문들과 사적인 질문들이 모두 영국의 차별방지법에 어긋나는 내용이기 때문에 고소하려고 변호사와 상담도 했지만 증인이나 증거가 있는 것도 아니니 그도 쉽지 않았다. 그렇다고 그냥 덮자니 화가 치밀어 올랐다. 그래서 장장 5장이나 되는 긴 글을 써서 그 회사의 본사로 메일을 보냈다. 그러고 일주일 뒤, 그 지사장에게 연락이 왔다.

"수영 씨, 우리랑 잘 맞는 것 같은데 같이 일해봅시다."

나는 두 번 생각도 하지 않고 거절했다.

"아, 왜 그래. 인터뷰 때는 말만 잘하더니만. 수영 씨도 알겠지만 첫 직장이 중요하잖아. 우리 회사에서 제대로 일을 배워봐" 하는 말에 어이가 없었다. 다른 회사에서 오퍼를 받았다고 둘러댔더니, "어딘데? 어느 회사? 연봉이 얼마래? 이니셜이라도 말해봐" 하며 계속 추궁했다. 하지만 나는 그 회사에 들어갈 생각이 없다며 단호히 전화를 끊었다.

일주일 뒤 또다시 연락이 왔다.

"우리가 꽤 많이 인터뷰해봤는데 수영 씨만 한 사람이 없네. 같이 일합시다. 오케이?"

비굴할 정도로 매달리는 그들을 보며 기분이 씁쓸했다. 세일즈 일이 험한 꼴을 많이 보기 때문에 일부러 압박면접을 한다고 쳐도, 저렇게 기본적인 매너도 없고 사람 능력을 평가하는 방법도 모르는 사람들과 일하느니 평생 백수가 되겠다고 결심했다. 이후 그때의 충격과 비자 문제 때문에 그 뒤로 한국 회사는 쳐다보지도 않았다.

영국에서 외국인이 합법적으로 근무하려면 취업비자가 있어야 한다. 그래서 나는 타임스 선정 영국의 최고 100대 회사 중 외국인 직원에게 취업비자를 지원해주는 글로벌 회사 위주로 알아보기 시작했다. 주로 내가 지원한 신입사원 공채 전형의 경우, 한국의 대기업과 비슷하게 먼저 온라인으로 서류 지원을 한 뒤 인터뷰를 하고 때로는 하루 종일 여러 명의 면접관과 인터뷰 및 케이스 스터디를 하며 그룹 토의 등을 하는 어세스먼트 센터Assessment Center에 참석해야 한다.

지성이면 감천이라고 외국인 친구들로부터 수십 번 검토를 받아가며 영어 이력서를 업그레이드하자 여기저기서 인터뷰 연락이 오기 시작했다. 어느 면접에서든 '왜 이 회사를 지원했나' '왜 이 포지션을 지원했나' '왜 당신을 뽑아야 하는가' 라는 질문은 기본이다. 또한 리더십, 위기 극복, 인간관계, 목표 설정 및 달성에 대해 구체적인 에피소드 위주로 얘기해달라고 한 뒤 끝도 없이 파고드는 '역량 면접'(Competence-based interview: 과거의 행동으로 미래를 예측하는 면접 기법)이 대세라서 친구들과 수도 없이 인터뷰 연습을 했다.

그러다 보니 자연스럽게 내 레퍼토리도 생겨났다. 나는 특히 미얀마 영화 출연담을 기승전결 구조로 이야기하곤 했다. 열악한 환경에서 시간이 촉박한 데다 말도 안 통하고 문화 차이 등 겹겹의 위기를 맞았지만 내게 주어진 여배우 역할을 넘어서 현지 코디네이터 역할까지 자원하며 동선을 최소화해 스케줄을 조정했고, 그들의 말을 경청하고 그들이 원하는 대로 진행하면서 팀을 독려한 끝에 성공적으로 영화 촬영을 마쳤다는 내용이었다. 나의 적극적인 태도, 리더십 스킬, 그리고 인간관계 능력까지 은근히 과시할 수 있는 경험담이었다. 매번 업무 효율화나 경비 절감 같은 딱딱한 얘기만 듣다 색다른 이야기를 들어서인지 면접관들은 이 이야기를 상당히 좋아했다.

세계적인 다국적 기업들 대부분 비슷한 인터뷰 전략을 가지고 있다 보니 어느덧 나는 '면접의 달인'이 되어갔고 로열더치셸Royal Dutch Shell에서 진행한 사내 인터뷰어 트레이닝의 모의 면접에 참여하는 아르바이트까지 했다. 이틀에 걸쳐 다양한 국적의 직원들과 이야기를 나누고 그들의 국제적인 커리어 패스Career Path를 알게 되자 감탄할 수밖에 없었다. 그리고 최고의 인재를 최선의 방법으로 뽑기 위해 회사 자체적으로 이런 연수를 한다는 것 또한 무척 신선했다.

하지만 이 회사에 대해 잘 아는 바가 없기 때문에 회사에 대해 좀 더 알아보고자 인턴십에 지원했다. 이미 모의면접을 통해 단련된 터라 비교적 쉽게 인턴십에 합격했다. 다소 엉뚱하게도 IT 프로젝트를 맡게 되었지만 말이다.

로열더치셸은 일개 인턴에 불과한 내게 프로젝트 매니저의 권한을 주었다. 미국, 유럽, 아시아에 있는 IT 매니저들과 인도 방갈로르의 프로그램 개발자들 사이에서 프로젝트를 진행하도록 권한을 주고 끊임없이 긍정적인 피드백을 주는 회사에 다시 한 번 감탄했다.

프로젝트를 마칠 무렵, 그간 우리가 개발한 새로운 시스템의 발표 및 연수를 위해 미국으로 출장을 갔다. 처음으로 비즈니스 클래스 비행기를 타보았고 특급 호텔에서 머물렀다. 열심히 준비해온 발표를 성공적으로 끝냈고, 미국인 상사는 "이렇게 프로페셔널한 인턴은 처음 봤어요" 하며 내게 칭찬을 아끼지 않았다. 매일 새벽

같이 일어나 호텔 수영장에서 수영을 한 뒤 자쿠지로 몸을 풀고 룸 서비스로 아침을 먹은 뒤 정장 차림으로 사무실에 출근하여 내 능력을 인정받는 모습, 바로 얼마 전까지 상상 속에서만 가능했던 일이 실현된 것이다.

인턴십 프로젝트를 마치고 직속 상사와 인턴십 기간 중의 멘토, 그리고 인사부 관계자들 앞에서 그간 프로젝트를 어떻게 진행했으며 그로 인해 무엇을 성취하고 배웠는지를 발표한 뒤 바로 잡오퍼(Job Offer: 고용 제의)를 받았다.

영국에 온 지 딱 1년, 그렇게 100여 번의 서류 지원과 수십 번의 인터뷰 끝에 세계적인 소비재 회사, 다국적 은행, 증권사 그리고 셸까지 네 군데에서 잡오퍼를 받았다.

앞으로 일할 회사를 결정하는 것은 쉬웠다. 비록 3개월 남짓한 짧은 기간이었지만 회사에서 만난 사람들의 글로벌 커리어 패스를 보면서 이 회사와 함께라면 '5년마다 대륙을 이동하겠다'는 내 인생의 계획을 이룰 수 있을 것 같았다. 또한 다양성을 존중하는 다국적 출신의 동료들, 일과 삶의 조화, 만족스러운 보상 체계 역시 또 다른 선택의 이유였다. 몇 달 뒤 나는 전 세계 각국에서 온 인재들과 새롭게 출발 지점에 섰다.

간절함이
영웅을 만든다

세계를 무대로 다양한 국적의 사람들이 함께 일하는 글로벌 비즈니스 환경에서 영어보다 중요한 것은 자신의 능력과 자세이며, 그보다도 더 중요한 것이 있다면 바로 '열정'이 아닐까.

아무리 똑똑한 사람도 열정이 없으면 바보보다 못하다. 아마도 내가 구직 초에 투자은행에서 줄줄이 떨어진 이유가 그쪽으론 내가 별 열정이 없었고, 그게 면접관의 눈에도 명백히 보였기 때문이리라. 그럼에도 나는 또 한 번 업무를 선택하는 과정에서 실수를 했다.

셸에 입사하면서 네덜란드 헤이그 본사에서의 전략기획 업무, 프랑스 현지의 마케팅 업무 그리고 런던의 재무기획 업무 중 한 가지를 선택할 기회가 주어졌다. 하지만 당장 런던을 떠날 마음의 준비가 되지 않았기에 그다지 적성에 맞지는 않지만 재무기획 업무를 선택했다.

'어차피 1년 반 뒤 바꿀 수 있으니까' 하는 생각에서 내린 결정이지만, 적성에 맞지 않는 업무는 단 하루도 괴롭다는 걸 알지 못했던 나의 오판이었다. 계속해서 엑셀을 돌리고 숫자를 맞추며 "이번 달엔 유럽의 매출이 4퍼센트 하락하고, 아시아는 32퍼센트 상승했습니다" 하면서 임원진들에게 보고하는 업무에 도무지 열정이 생기질 않았다. 임원들이 1,000억짜리 의사 결정을 하는 데 보조하는 것보다는, 1억이라도 내 아이디어와 노력의 결과물을 직접 이뤄보고 싶었다.

그런 생각을 하면 할수록 하루하루가 견디기 힘들었다. 또한 엑셀 천재인 동료들 사이에서 프로그램에 능숙하지 않아 종종 실수를 하고, 이런저런 회계 용어를 이해하지 못하는 내가 바보스럽게 느껴졌다. 엑셀보다는 파워포인트가 자신 있었지만, 그 부서에선 그다지 필요하지 않은 기술이었다.

'내겐 직장생활 자체가 안 맞는 걸까? 어차피 엑셀 돌리고 있을 거면 골드만삭스에서 돈이나 많이 벌걸. 왜 힘들게 유학까지 와서 이 고생을 하고 있는 걸까.'

나는 거의 우울증에 걸리다시피 했다. 그 스트레스가 너무 커서 엑셀에 빠져 죽는 꿈을 꾸기도 했지만 아무리 노력해도 일에 열정이 없으니 재무 업무는 1년 가까이 해도 늘지 않았다. 급기야 상황을 개선할 의지마저 사라진 나를 대놓고 무능하다고 얘기하는 상사와 감정적으로 대립하는 바람에 최악의 상황까지 갔다.

하지만 회식이나 파티를 주최하는 일만큼은 모든 사람이 나를 인정해주었다. 특히 다른 부서로 옮기거나 회사를 떠나는 동료들을 위해 송별회를 기획하고 모은 돈으로 깜짝 선물을 해주면 다들 무척 즐거워했다.

한번은 프랑스 지사로 가는 동료를 위해 송별회를 준비했는데, 아무래도 이사 준비로 바쁜 그녀에게 또 다른 짐이 될 만한 물건을 선물하기보다는 이사 끝나고 푹 쉴 수 있도록 파리의 스파 리조트 상품권을 선물로 주기로 했다. 하지만 영수증을 프린트한 종이 한 장 달랑 주기가 민망했다. 그래서 생각 끝에 큰 봉투에다 멋진 여자가 이국적인 풍경에서 스파를 즐기는 사진을 붙이고 멋지게 장식을 해서 그 속에 프린트한 영수증을 넣어 건네주었다.

"수영 씨는 아무리 봐도 창의적이고 이렇게 일 벌리기 좋아하는 사람인데, 왜 재무부에 있는지 이해가 안 돼. 마케팅 분야에서 일하면 참 잘할 것 같은데, 왜 이쪽에서 썩고 있어?"

동료의 말에 그제야 나는 '그래, 왜 처음부터 원하지도 않고 적성에 맞지도 않는 일을 하면서 고생하고 있을까. 아무리 노력한다고 해도 저들처럼 잘하지도 못하고 잘하고 싶지도 않을 텐데'라는 생각이 번쩍 들었다.

회사에서 추가로 휴가까지 내주고 학비까지 지원해준 덕분에 억지로 공부해서 경영회계자격증인 CIMA 2차까지 합격했건만, 여기저기 인사담당자들을 찾아다니며 마케팅 업무를 하고 싶은데 어떻게 해야 하냐고 물어보았다. 하지만 지금은 자리가 없다거나 있어도 맨체스터로 옮겨야 한다는 답변에 실망하며 몇 주를 보냈다.

그러던 어느 날 주유소 사업부 마케팅 팀에서 급히 사람을 뽑는다며 연락이 왔다. 인사담당자들이 하나같이 "재무부에 김수영이라고 있는데, 마케팅 부서로 가고 싶다고 몇 달 전부터 노래를 불렀다"라는 소리를 들었다는 것이다. 즉시 인터뷰를 가졌고 다음날 매니저와 인터뷰를 한 그 자리에서 오퍼를 받게 되었다.

그러고 보면 기회는 그것을 가장 간절히 원하는 사람에게 주어질 확률이 높다. 기회를 주는 사람 입장에서 그것을 귀하게 여기는 사람에게 주는 게 더 보람 있기 때문이다. 그런데 아무리 원해도 마음속으로만 생각하면 아무도 알아주지 않으니 내가 원하는 것을 적극적으로 말해야 하는 것이다.

어떻게 보면 주유소 사업이라는 것은 기름 냄새 나는, 전혀 화려하지 않은 일이다. 그러나 나는 사람과 재화가 이동하는 것을 가능케 하는 운송수단에 관심이 많았다. 한때 역마살이 단단히 껴서 사람들의 '이민과 이주'에 관하여 석사까지 하려고 했던 내가 아닌가.

수도없이 가출을 하고 새로운 곳으로 여행을 떠난 내게 자동차, 버스, 기차, 비행기 등은 단순히 한곳에서 다른 곳으로 이동하는 수

단 이상의 의미를 가지고 있다. 어딘가로 향하는 설렘과 떠나온 곳에 대한 아쉬움의 감정이 묘하게 뒤섞이고, 때로는 예상치 못한 인연을 만나기도 하며, 창밖의 풍경을 바라보며 지난날의 추억들이 영화처럼 스치기도 하고, 새로운 영감과 아이디어가 떠오르는 특별한 이동 공간이 아닌가.

나는 한때 유럽 최대 저가 항공사인 아일랜드의 라이언에어를 모델 삼아 아시아를 거점으로 하는 저가 항공사를 세우겠다는 야심을 품기도 했다. 그래서 말레이시아의 에어아시아를 보면서 내가 상상했던 일이 그대로 눈앞에서 실현되는 것 같아 나도 모르게 흥분하기도 했다. 비행기보다는 좀 더 원시적(?)이지만 자동차야말로 전 세계 대다수 사람의 끊임없는 이동을 가능케 하는 수단이며, 여기에 필요한 것이 바로 연료 아닌가. 나는 영국 1,000여 개의 주유소에서 매주 수백만 명의 고객과 교류를 할 수 있는 나만의 무대를 얻게 된 것이다.

또 한 가지 재미있는 건 편의점이 보편화되지 않은 영국에는 주유소마다 편의점이 딸려 있다는 점이다. 사람들은 주유소에서 휘발유나 디젤만 넣고 가는 것이 아니라 신문과 담배를 사고, 트럭 운전사나 바쁜 운전자들이 샌드위치로 점심을 해결하고 커피도 마시며, 직접 엔진오일을 사서 채우거나 세차까지 한다. 그래서 주유소는 테스코와 같은 대형 슈퍼마켓, 스타벅스 같은 커피 전문점, 서브웨이 같은 샌드위치점, 전국의 자동차 수리소와 세차장들과 끊임없이 경쟁하는 셈이다. 조그만 주유소 안이 모든 종류의 유통서비스업이 압축된 살아 있는 하나의 비즈니스 현장인 것이다.

나는 고급 휘발유인 V-Power의 마케팅을 맡게 되었다. 새 업무를 시작한 첫 주말부터 영국 국제 모터쇼British International Motor Show에 투입되었고, 모터쇼가 끝나기 바쁘게 포뮬러원 다음으로 세계에서 가장 유명한 레이싱 경기인 르망Le Mans에 투입되었다. 뜨거운 햇살 아래 수십 대의 차가 번개같은 속도로 경주하는 실버스톤에서 주말을 보내며 새로운 업무를 시작했다.

V-Power 파트너인 페라리와의 공동 프로모션을 기획하여 진두지휘하고, BBC 〈Top Gear〉 프로그램의 스폰서십 관련 모터쇼 행사를 준비하는 등 쉴 새 없는 나날이 이어졌지만 매일매일 새로운 것을 배우는 재미에 피곤한 줄도 몰랐다. 화려한 업무에 대한 매력보다도 매일 도로 위의 수백만 명의 꿈이 기다리는 일터로, 사랑하는 가족이 기다리는 가정으로, 즐거운 추억을 만드는 여행지로 향하는 길을 씽씽 달려갈 수 있게 한다는 데 큰 보람을 느꼈다.

하지만 금융 위기가 몰아닥치고 사람들이 지갑을 닫으면서 일반 휘발유보다 비싼 V-Power의 판매량이 급감하기 시작했다. 실속을 중시하는 유럽 소비자들은 상품의 혜택을 구체적으로 인식하지 않으면 굳이 돈을 더 내고 고급 제품을 사지 않는다. 그 상황에서 마케팅 예산도 별로 남지 않아 나는 소비자들을 직접 설득하는 프로모션을 기획하기로 했다. 주변에선 이런저런 이유를 대며 다들 힘들 거라고 했다. 그러나 단 하루만이라도 시도해보자며 경영진을 설득해서 하루 동안 전국의 직원들이 직접 고객들을 설득하는 행사를 추진했다.

셀프서비스 주유소인 영국에서 직원은 편의점 계산원 역할을 하는데, 그들이 직접 펌프 옆에서 고객들을 응대할 경우 추가 인원이 필요하기 때문에 그만큼 인건비가 상승한다. 그래서 직원들을 고용해야 하는 점주들이 이벤트에 반발하고 나섰다. 하지만 여기서 포기할 수는 없었다. 점주의 입장에서 투자 대비 수익률을 뽑아 일일이 설득하자 반발은 곧 누그러들었다.

문제는 여기서 끝이 아니었다. 수동적인 계산원 역할만 해오던 직원들을 어떻게 능동적인 영업사원으로 변신시킬 수 있을지 방법을 찾아야 했다. 전국에 있는 수천 명을 한곳에 불러다가 연수를 시킬 수도 없고, 그들을 찾아다닐 강사가 따로 있는 것도 아니며, 무엇보다 예산도 없었다. 결국 그들이 참고할 수 있는 교육자료를 내가 직접 만들기로 했다. 직원들이 이번 프로모션을 재미있는 행사로 생각할 수 있도록 의미를 부여하는 게 중요했다.

나는 미국 폭스 TV의 액션 시리즈 〈24〉에서 영감을 받아 '당신에게 주어진 시간은 24시간, V-Power의 영웅이 되세요!'라는 슬로건으로 'V-24'라는 행사를 기획했다. 주유소에서 일하는 직원들 상당수는 스리랑카, 인도, 방글라데시, 파키스탄 등의 이민자 출신으로 영어가 모국어가 아니므로 어려운 영어 단어가 아닌 사진과 만화 위주로 교육 자료를 만들어 배포했다. 그리고 포뮬러원 VIP 티켓을 V-24의 영웅을 위한 포상으로 내놓았다.

V-24 행사가 있던 날, 비가 세차게 내렸다. 하루 종일 여기저기 주유소를 방문한 내 눈엔 비옷을 입고 추위에 떠는 그들의 모습이 안타까워 보였지만, 그들은 V-Power를 써야 하는 이유를 자신 있게 설명했고 여기저기 창의적인 아이디어도 돋보였다. 어떤 곳에서는 리플릿으로 피라미드를 만들고, 어떤 곳은 V-Power 펌프로 향하도록 화살표 테이프를 붙였다. 어떤 곳은 직원들이 형광색 치마에 가발을 쓰고 고객들을 웃기기도 했고, 직원들이 V-Power 노래를 만들어 부르는 곳도 있었다.

그날따라 유난히 비가 많이 오고 공급에 문제가 생기기도 했지만, 1,000여 명의 노력 때문인지 하루 만에 판매량이 40퍼센트나 증가했다. 특히 그날 하루 V-Power 판매량이 400퍼센트나 증가한 지점의 매니저 제간이 V-24의 영웅이 되었다. 스리랑카 출신인 그에게 축하 인사를 하며 포뮬러원 티켓을 보내주었더니, 얼마 뒤 그에게서 답장이 왔다.

수영 씨, 제가 스리랑카에서 영국으로 온 지도 벌써 10년이나 됐습니다. 가족의 행복을 위해서라면 뭐든지 할 각오가 되어 있기에 그동안 청소 같은 궂은일도, 야간 근무도 마다하지 않고 열심히 살았어요. 어릴 적부터 주유소에서 키우다시피 한 아들이 차를 굉장히 좋아해 미하엘 슈마허 같은 레이서가 되고 싶어했지만, 그런 트레이닝을 하는데 천문학적인 돈이 들어가는 터라 아들의 꿈을 짓눌렀답니다. 그러면서도 아들의 꿈 하나 이뤄주지 못할 거면 왜 영국에 와서 이런 고생을 하나, 하는 회의가 들곤 했어요.

이번에 V-24의 상품이 포뮬러원 티켓이라고 아들한테 말하니, 자기가 V-24 때 와서 도와줄 테니까 꼭 이기자고 하더군요. 그날 16시간 동안 아들은 지치지도 않고 수백 명을 설득했어요. 사실 열일곱 살짜리 아이가 뭘 얼마나 알겠냐마는 고객들이 아이의 열정을 보고 못 이기는 척 V-Power를 사주더라구요.

VIP 티켓을 주신 덕에 레이싱카들이 즐비한 패덕paddock에도 가보고, 페라리 팀의 드라이버인 펠리페 마사와 사진도 찍었어요. 아들로서는 정말 꿈같은 일이었죠. 돌아오는 길에 아들이 그러더군요. 아버지가 그렇게 고생하는 줄도 모르고 불평만 해서 미안하다고, 이제 자동차 정비 학교를 가서 페라리 팀의 정비공이 되겠다고 말입니다. 덕분에 아들과 사이가 좋아졌고, 아들이 진로를 정할 수 있게 되었습니다. 무엇보다 평생 아들과 함께 나눌 수 있는 추억을 만들어준 데 대해 수영 씨께 감사의 마음을 전합니다.

글을 읽으며 가슴이 찡했다. 진짜 비즈니스를 배우고 싶어하는 나이지만, 오늘도 최전방에서 매순간 고객을 상대하는 제간 같은 이들이 비즈니스를 돌아가게 하는 원동력임을 먼저 알아야 했다.

그들의 꿈과 열정을 살리는 것은 엄청난 투자나 훌륭한 전략만큼이나 중요하다는 것을 깨달았다. 그래서 나는 매일 사무실에만 있지 않고 여기저기 주유소를 방문하면서 직원들을 독려하고 고객과 대화를 나누기도 하며, 아이디어가 떠오르면 그 자리에서 사진을 찍고 메모도 했다. 여행을 가서도 내 눈엔 주유소만 보여서, 주유소 사진을 찍곤 했다. 나의 이런 모습에 다른 사람들이 핀잔을 주기도 했지만, 주유소라는 삶의 현장에서 살아 있는 비즈니스를 배웠던 것이다.

그래서일까, 마케팅 일을 시작한 지 1년도 채 되지 않아 두 번이나 우수상Award for Excellence을 받았다. 또한 내가 추진한 프로젝트가 전 세계 동료들이 따를 만한 모범 사례Best Practice로 선정되었으며, 연봉도 억대로 넘어갔다. 꼼꼼함과 뛰어난 숫자 감각을 필요로 하던 재무 일을 할 때는 한없이 나 자신을 무능하게 생각하며 지냈지만, 적성에 맞는 창의적인 기획력을 필요로 하는 업무를 맡으면서는 첫날부터 즐기며 일할 수 있었고 사람들에게 인정도 받게 된 것이다. 자신이 가장 좋아하고 재능에 맞는 일을 찾아야 된다는 말이 사실임을 다시 한 번 깨달았다.

찰스 왕세자님을
만난 이유

내게 있어 일터는 단순히 월급을 받고 경력을 쌓는 곳이 아니라, 매일 새로운 것을 배우며 나 자신이 한 명의 프로페셔널로 성장해 나가는 곳이다.

회사 내 다양한 네트워크에서 만난 사람들로부터 끊임없이 영감을 받았다. 여성 네트워크에서는 멘토링과 강연을 통해 어떻게 하면 유리 천장을 뚫고 하늘 높이 날아갈 수 있을 것인가를 배웠고, 비록 아프리카 출신은 아니지만 아프리칸 네트워크에도 가입해 소수 인종으로서의 처세술을 배웠다. 또한 게이, 레즈비언, 양성애자, 성전환자들을 대변하는 성적 소수자 네트워크에서 열린 프라이드 퍼레이드Pride Parade에 참가하기도 했고, 20대 젊은 직원 네트워크에서는 퇴근 후 같이 맥주 한잔 하며 직장생활의 스트레스를 풀어낼 수 있는 친구들도 만났다.

한번은 네트워킹의 진짜 가치를 실감한 일이 있었다. 경비 처리나 구매 주문서 등을 맡아서 처리하는, 어찌 보면 허드렛일을 하는 베키라는 50대 직원이 있었다. 매사에 적극적인 그녀 덕분에 나 역시 몇 번의 문제를 해결한 적이 있어 늘 고마운 마음을 가지고 있었다. 그러다가 그쪽 업무가 자동화되고 폴란드로 아웃소싱 되면서 베키가 정리해고의 위험에 처했다. 나는 팀 워크숍에서 베키 얘기를 꺼냈다.

"여러분도 알다시피 베키가 그동안 우리 팀을 위해서 자기에게 주어진 역할 이상으로 늘 최선을 다하고, 아무리 귀찮게 해도 늘 웃으면서 도와주었는데 정리해고를 당할지도 모른대요. 적어도 그간의 도움에 대해 감사 편지를 써보는 건 어떨까요?"

이에 너도나도 동조하고 나섰다. 사람들의 의견을 수렴해 내가 초안을 써서 우리 부서 상무님께 전달했고, 베키가 누군지도 모르는 상무님은 "마케팅 팀 전원이 그간의 베키의 도움에 감사하고 있다. 그녀가 새로운 일을 찾을 수 있도록 전폭 지지해달라"라는 내용을 덧붙여 베키의 상사에게 이메일을 보냈다.

얼마 뒤 나는 여성 네트워크 모임에 갔다가 옆에 앉은 여성 임원으로부터 조달 부서에 자리가 났다는 얘기를 들었다. 그 자리에서 베키를 적극 추천했고, 상무님이 베키의 상사에게 보낸 이메일을 전달했다. 공개 채용 과정이었지만 베키는 강력한 추천서 덕분에 그 일자리를 얻었고, 정리해고를 피할 수 있었다. 베키는 새로운 업무를 시작하기 전날 우리에게 찾아와서 감사의 인사를 했다.

그런데 이건 무슨 조화일까. 마케팅 팀에 들어간 지 1년도 되지 않아 새로운 CEO가 취임하면서 우리 사업부에도 조직 개편의 바람이 불어닥쳤고, 업무가 통합되면서 내가 속한 팀이 사라지게 되어 나 또한 새로운 일을 찾지 못하면 정리해고를 당할 수도 있는 처지에 놓이고 말았다.

상사는 "이건 개인적인 실적과는 관계없이 나라마다 제각각인 업무 구조를 통일하려는 취지니까 이해해주었으면 해요. 비록 수영 씨 업무는 없어졌지만 새로 생긴 업무도 있으니 꼭 지원했으면 좋겠어요. 수영 씨가 다른 부서로 가면 우리에겐 큰 손실이니까요"라고 했지만 나는 그의 말이 귀에 들어오지 않았다. 힘들게 입사했고, 입사한 뒤에도 오랜 기간 고민하다 적성에 딱 맞고 내 능력을 발휘할 수 있는 업무를 찾아서 성과를 인정받고 있던 차에 이럴 수도 있는 건가. 다시금 내가 세상에서 가장 불운한 사람처럼 느껴졌다.

하지만 갑작스러운 변화에 당황하는 것도 잠시, 평소 네트워킹을 통해 알고 지내던 전 세계의 동료들이 일자리를 추천해주었다. 멀리는 호주에서부터 브라질까지. 어떤 임원은 인터뷰를 볼 필요도 없으니 당장 자기 팀으로 오라고 했다. 내가 '영국에 있을까, 다른 나라로 갈까'하는 행복한 고민을 하자, 위기의식을 느낀 상사는 집요하게 설득해왔다.

결국 세 번에 걸친 상사의 설득에 못 이겨 같은 팀의 새로운 포지션에서 일을 시작했다. 이전에 하던 마케팅뿐 아니라 세일즈와 구매, 공급까지 800만 달러의 매출을 총괄 책임지는 일이었다. 게다가 내 일을 지원해주는 직원들까지 생겼고, 회사에서 빨간 아우디 차까지 제공해주었으니 그야말로 전화위복인 셈이었다.

회사에 막 입사해서 아무것도 모를 때, 직장 상사와의 불화로 고민할 때, 그리고 실직 위기를 겪을 때 네트워크는 정말 큰 힘이 되었다. 이를 통해 만난 사람들은 내게 든든한 동지이자 서포터가 되어주었다. 그래서 조금이나마 내가 받은 도움을 돌려주고자 20대 네트워크의 핵심 멤버로 활동하며 다양한 이벤트를 열고 연사들을 모셔 강연회를 열기도 했다.

그러던 어느 날, 아프리칸 네트워크에서 마련한 외부 연사 강연에 갔다가 연사의 강력한 연설에 고무되었다. 그 강사는 소수자, 특히 영국에 있는 사회적으로 뒤처진 많은 흑인들이 인종차별 핑계를 댄다며 한탄했다. 하지만 '소수'라는 것은 '도전'을 의미한다고 거듭 강조했다. 결국 성공하는 사람들은 소수이고, 백만장자도 소수이며, 매년 생겨나는 수만 개의 기업 중 살아남는 것도 소수이고, 다수를 지배하는 것 또한 소수라는 것이다. 강사는 이어서 "쉽게 포기하고 평범하게 살아가는 다수가 되겠는가, 아니면 남들보다 앞서가는 소수가 되겠는가?"라는 질문을 청중에게 던졌다. 이미 성공한 유색인 롤모델이 충분히 있으며 그들은 남들보다 더 많은 도전을 했고 이겨냈기 때문에 성공할 수 있었다고, 이는 피부색과 전혀 관계가 없는 것이라고 거듭 강조했다.

"인종차별 평계는 집어치워라. 당신을 성공하게 만드는 것도 당신이고 실패하게 만드는 것도 당신이다. 그것은 피부색에 상관없이 보편적으로 적용되는 것이다. 회사에서 승진을 못한 게 인종 차별 때문이라고? 당신이 정말 능력 있으면 그딴 회사 때려치우고 더 좋은 회사를 가거나 당신의 회사를 차리면 되지 않겠는가? 당신을 가로막는 장애 때문에 포기할 것인가, 반대로 그 장애를 넘어서기 위해 노력할 것인가는 당신이 선택할 문제다. 먼 훗날 당신이 죽기 전에 손자손녀에게 당신의 삶을 이야기할 때 '나는 유색 인종이라서 이것밖에 못했어'라고 말하고 싶은가? 아니면 '유색 인종에게 주어진 어려움에도 불구하고 이렇게 성공했다'라고 말하고 싶은가? 'Because'라는 변명의 단어보다는 'Despite'라는 도전의 단어를 기억하라."

소수자임이 오히려 축복이 될 수도 있구나! 그녀의 강연을 듣는 내내 얼마나 고무되었던지 가슴이 터질 것 같았고 긍정적, 도전적 마인드가 얼마나 중요한지 다시 한 번 깨달았다. 한편 '아프리칸 네트워크는 있는데 왜 세계 인구의 60퍼센트를 차지하는 아시아인들의 네트워크는 없을까?' 하는 의문이 들었다. 많은 아시아인이 서구 사회에 진출하지만 아시아 고유의 문화는 서구 사회에서 성공하는 데 장점이자 단점이 되기도 한다. 장점은 살리되 선배들이 겪은 시행착오는 후배들이 겪지 않도록 하나의 열린 장을 마련해서 서로의 성장과 발전을 돕는 것은 어떨까?

나는 회사의 후원과 동료들의 지지를 받으며 순식간에 아시안 네트워크를 조직했다. 성공한 아시아인 임원과 외부 연사 초청 강연, 힌두교 전통 축제인 디왈리 그리고 한국 · 중국 · 베트남의 음력설 축제 등의 행사를 진행했고, 2009년에는 회사를 대표해 '올해의 아시아 여성 시상식'Asian Women of Achievement Awards에 참석해 각계각층에서 활약하는 멋진 아시아 여성들과 교류를 나눌 기회도 가졌다. 찰스 왕세자, 토니 블레어 전 총리의 부인인 셰리 블레어, BBC〈Dragon's Den〉으로 유명한 자수성가 사업가이자 억만장자인 제임스 칸 등 사회적 유력 인사들까지 와서 격려를 해준 정말이지 잊을 수 없는 밤이었다.

이 행사를 후원한 로이즈 TBSLloyds TSB 은행의 여성 CEO는 "여성으로서 남성 위주의 조직에서 살아남으려면 좀 더 눈에 띄고 자신의 목소리가 남들에게 들리게끔 하라. 그렇지만 시끄러운 목소리로 떠들 필요는 없다. 차분하지만 단호한 목소리여야 한다"라고 했다. 나는 이것이 서구 환경에서 활동하는 동양인들에게 절실한 이야기라고 생각했다. 겸손과 복종을 미덕으로 알고 자랐기에 뛰어난 능력과 성취를 이루고도 그것을 드러내기 꺼려하고, 남들과 의견이 달라도 자신의 의견을 관철하기보다는 다른 사람의 의견을 수용하는 수동성 때문에 동양인들은 '대나무 천장'(국제사회에서 아시아 국적이나 아시아계의 고위직 승진을 막는 보이지 않는 장벽을 가리키는 말)에 부딪히는 것이 아 닐까.

시상식의 카리스마 넘치는 수상자들이 자신의 성공에 힘이 되어 준 이들에게 진심으로 감사해하는 모습 또한 인상적이었다. 그들을 통해 성공이란 남을 짓누르고 내가 앞서 나가는 것이 아니라 함께 나아가는 것임을 배웠다. 그리고 무엇보다 10년 뒤에는 내가 수상자로 저런 무대에 서겠다는 다짐을 하며 그 자리를 나섰다.

Part 2

내 삶은 내가 정의하는 거야

．
．
．
．

출발점은 다를 지언정 결국

우리 모두는 인생이라는 마라톤을 뛰어야 한다.

나보다 앞서서 출발한 사람들을 질투하며

게임이 불공평하다고 불평만 하지 말고

계속 뛰어서 그들을 따라잡는 것이 중요하다.

난 하늘을 날고 싶었어

전라남도 여천군 소라면 관기리...... 열 살이 된 내게 주어진 새로운 주소였다. 학생이 열 명도 채 되지 않는 시골 분교가 못 미더웠던 엄마는 나를 왕복 두 시간씩 버스를 타야 하는 여수 시내에 있는 초등학교로 보냈다.

시장에서 장사를 하는 할머니들이 승객의 대부분인 버스에는 그네들의 대야에 담긴 바지락과 소라 냄새가 가득했다. 가끔 운 나쁘게 버스가 완행 노선으로 가면 비포장도로를 뺑뺑 돌아오는데, 계속 덜컹거리며 뽀얀 먼지를 일으켜 숨까지 턱턱 막혔다. 속이 메슥거리는 것을 가까스로 참으며 30분쯤 늦게 학교에 도착하면 먼지를 흠뻑 뒤집어쓴 얼굴이 되고 이마에는 어느새 까만 땀방울이 송골송골 맺혔다. 헐레벌떡 교실 문을 들어서는 내 모습은 마치 동화 〈왕자와 거지〉 속 거지처럼 보이곤 했다.

비록 내 모습은 거지처럼 초라했지만 내 꿈은 코미디 작가가 되는 것이었다. 재미있는 극을 만들고 싶었고, 그래서 기회가 있을 때마다 친구들 앞에 나섰다. 초등학교 5학년 소풍 때였다. 아이들 앞에서 당시 TV에서 유행하던 코미디 프로그램을 패러디해서 큰 호응을 얻자, 우리 반의 '주류 세력'이던 반장, 부반장 등의 친구가 같이 김밥을 먹자고 했다. 별다른 생각 없이 응했는데 집에 오는 길에 평소 점심도 같이 먹고 어울리던 친구들이 나를 째려보고 있었다. 그중 덩치가 가장 큰 한 명이 소리쳤다.

"야! 김수영! 별로 재밌지도 않은 장기자랑 하고 나니까 네가 연예인이라도 된 줄 아나 봐? 반장이 같이 밥 먹자고 하니까 우리가 눈에 안 보이지? 이 배신자!"

그 나이에도 아이들 사이에 서열같은 게 있었던 걸까. 아무 생각이 없었던 나는 갑자기 말문이 막혀버렸다. 그 친구의 큰소리에 다른 아이들은 죄다 나를 쳐다보았고, 나는 땅만 쳐다보며 "미안해……"라는 말밖에 할 수 없었다.

"이제 와서 미안하다면 다야? 너 내일부터는 네가 좋아하는 반장이랑 같이 밥 먹어! 우리한테 아는 척할 생각 하지 마!"

아이들은 쌩하니 등을 돌리며 눈앞에서 사라졌다.

그다음 날부터 나는 점심시간이 제일 싫었다. 아이들의 따가운 시선을 등 뒤로 맞으며 혼자서 밥을 먹어야 했기 때문이다. 때로는 그나마도 괴로워 운동장 수돗가에서 혼자 밥을 먹었다. 왕따라고 소문이 나자 학년이 바뀌어도 말을 걸어주는 아이가 없었다. 아무 일도 없었던 것처럼 아이들에게 먼저 다가가서 말을 걸고 싶었지만, 이미 가난 때문에 주눅들어 있었던 내겐 그럴 용기가 없었다. 나는 1년 반 동안 말 없는 아이로 책만 읽으며 지냈다.

엄마의 강요로 다녔던 성당에서도 나는 아이들과 잘 어울리지 못했다. 성당에는 여수 공단 직원 자녀들을 위한 사립학교에 다니는 아이가 대부분이었다. 중산층인 그 아이들은 유명 브랜드 옷을 입고 오는 반면, 엄마가 어디선가 주워온 옷에 구멍난 팔꿈치를 기워 입은 내 모습이 초라해서 가기 싫었다. 한번은 하얀 얼굴이 유난히 예쁘던 아이가 "어? 이 옷 나도 있었는데. 아 참, 엄마가 얼룩이 졌다고 버렸지. 어? 그 얼룩이 여기에도 있네? 너 이거 주워 입은 거지?" 하는 말에 나는 얼굴도 들지 못했다.

기도 시간에 남들이 행복과 평화를 빌 때 나는 끝없이 하느님에게 물었다.

'하느님, 왜 저만 이렇게 가난한 집에서 태어난 거죠? 왜 저만 이렇게 왕따를 당하는 거죠? 당신이 존재한다면 제가 부잣집에서 예쁘고 인기 있는 아이로 다시 태어나게 해주세요.'

하지만 누구에게도 이런 고민을 털어놓지 못했다. 어린 마음에도 선생님께 말하기엔 부끄러웠고, 이미 가난으로 고통받고 계신 부모님을 나까지 힘들게 하면 안 된다고 생각했기 때문이다. 아버지가 편찮으셔서 몇 달째 누워 계신 상황이라 당장 입에 풀칠하기도 어려운 형편이었기에 수업 시간에 필요한 준비물을 살 돈도 없었다. '오늘은 깜빡하고 안 가져왔다고 핑계를 대야지' '오늘은 문구점에 물건이 없어서 못 샀다고 해야지'라고 마음의 준비를 하면서 버스에서 한 시간 내내 불안한 마음으로 학교에 갔다.

정말 꼭 필요한 준비물인데 엄마에게 돈을 못 받으면 용기를 내서 학교 근처 친척 집에 들르기도 했다.

"저…… 엄마가 준비물 사라고 돈을 주셨는데 제가 깜빡하고 안 가져왔어요. 집까지 도로 가기는 너무 멀고 돈 좀 빌려주시면 안 될까요?"

친척 어른들은 내 말을 굳이 끝까지 듣지 않아도 눈빛만으로 눈치를 채고 용돈까지 얹어주곤 했다. 어린 마음에도 그런 내가 구차하게 느껴졌고, 그런 학교생활을 하면서 점점 주눅이 들었다.

사업 실패 후 과거에 대한 후회와 고된 육체노동의 고통을 잊기 위해 매일 밤 술을 마시던 아버지. 아버지는 조금이라도 당신이 원하는 대로 되지 않으면 "콱, 죽여 블랑게"하고 큰소리를 지르며 온 세상을 저주하곤 했다.

햇볕이 쨍하던 어느 날, 세차를 하지 않는다고 소리를 지르는 아버지의 거친 말에 세상 모든 사람이 나를 미워하는 것 같아 자살을 생각했다. '수면제를 한 봉지 살까' '유서는 뭐라고 쓸까'하는 고민

끝에 나름대로 완벽한 계획을 짰다고 짠 것이 날 왕따시킨 아이들이 죄책감을 느끼도록 학교 앞 육교에서 뛰어내리는 것이었다. 유서까지 썼는데 차마 자살하지 못한 이유는 아직 읽지 못한 책들이 몇 권 남은 것이 너무 아쉬웠기 때문이다.

그렇게 외롭고 괴롭던 시절, 그나마 나를 위로해주는 것은 책이었다. 브라질의 J. M. 바스콘셀로스가 쓴 〈나의 라임 오렌지 나무〉의 철부지 제제처럼 혼자만의 세상에서 힘겨워하며 '내겐 왜 제제에게 친구가 되어주던 뽀르뚜가 아저씨 같은 사람은 없는 걸까' 하고 한숨을 쉬곤 했다.

그래도 다행히 아버지가 그간 열심히 일한 보람이 있었는지 시골에서 조금 벗어난 시내로 이사를 하게 되었다. 단독 주택은 아니었지만 2층 다락방이 있는 그 집에 갔을 때 얼마나 신이 났던지! 그리고 마침 그 동네에 초등학교가 개교해 전학을 가면서 결심했다.

'여기선 왕따 따윈 되지 않을 거야. 가서 애들이랑 친하게 지내야지.'

막상 전학을 갔지만 애들이랑 어떻게 친하게 지내야 할지 몰랐던 내게 당시 화제가 되었던 '서태지와 아이들'이 친구들과 나를 하나로 묶어주었다. 우리는 매일 그들의 노래를 듣고 춤을 추었고 소풍 때는 〈죽음의 늪〉 〈하여가〉에 맞춰 춤을 추는 장기자랑을 선보이기도 했다. 나는 다시금 존재감을 찾기 시작했다.

중학교 2학년이 된 나의 가장 큰 고민은 아침마다 40분씩 드라이를 해도 머리가 펴지기는커녕 상하기만 하는 곱슬머리 돼지털이었다. 그러던 어느 날 "과산화수소를 머리에 바르면 머리가 펴져"라는 선배 언니의 조언에 따라 머리에 과산화수소를 한 통 뿌렸는데, 머리가 완전히 상해서 그만 노랗게 변해버렸다. 속상했지만 별일 아니라 여기고 아무 생각 없이 교무실에 갔다가 담임 선생님과 교실로 돌아오는데 한 여자 선생님이 나를 보더니 갑자기 주먹으로 내 머리통을 사정없이 내리쳤다.

"네가 학생이야? 머리가 이게 뭐야?"

그 선생님이 머리채를 잡아당기고 주먹으로 머리와 팔 등을 때리는데 너무나 순간적으로 벌어진 일이라 아무 생각도 할 수 없었다. 맞은 부위가 욱신거리면서 머릿속엔 별이 빙빙 돌았다. 놀란 담임 선생님이 그만하라고 말렸지만 아무 소용이 없었다. 정신을 차리고 보니 머리카락이 한 움큼 빠지고 팔에는 멍이 들어 있었는데, 몸이 아픈 것보다 수십 명이 지나가는 복도에서 그런 일을 당했다는 것이 너무 수치스러웠다.

당시는 패션 때문에 염색하는 사람이 거의 없던 시절이라 염색에 관련된 교칙이 따로 없었고 내 노랑머리를 보고도 다른 선생님들은 별 말씀을 안하셔서 잘못된 건지도 몰랐다. 누군가 내게 주의를 주었더라면, 어떻게든 까만 머리로 돌려놨을 텐데 갑자기 지나가던 사람을 무작정 때리다니. 아무리 생각해도 이건 아니다 싶어 그다음 주 월요일 학급회의 시간에 나는 손을 번쩍 들고 "자질

이 부족한 교사는 학교를 떠나라.""학생들의 인권을 존중해달라"
는 당돌한 발언을 했다. 잠시 후 "2학년 5반 김수영, 당장 교무실로
와!"라는 고함이 스피커를 타고 학교 전체에 울려 퍼졌고 나는 반
성문을 써야 했다.

그날 이후 일부 선생님들은 내가 보는 앞에서 내 친구들에게 나
와 어울리지 말라고 대놓고 윽박질렀고, 조그만 잘못 하나에도 가
혹한 체벌을 가했다. 그리고 나는 학교에서 겉돌기 시작했다. 지각
과 결석을 밥먹듯이 했고, 하나의 사건이 끝나기 무섭게 또 다른 사
건이 이어졌다.

부츠를 신고 학교에 간 어느 날, 내 부츠를 창밖으로 던져버린
가정 선생님에 대한 분을 못 참고 교실문을 쾅 닫고 학교를 나와
그대로 가출해버렸다. 하지만 막상 갈 곳이 없어 여기저기 친구 집
을 전전했는데, 한번은 갑자기 친구 엄마가 들어와 너무 놀란 나머
지 장독대를 딛고 담을 넘다가 장독을 다 깨뜨려 그해 친구네 김장
을 망쳐버리기도 했다. 그러다가 경찰에 두 번이나 잡혀갔고, 엄마
가 한없이 우는 모습을 보면서도 미안한 생각보다는 '학교에 돌아
가면 또 얼마나 당할까' 하는 생각에 답답했다. 역시나 학교에서 나
를 기다리고 있는 것은 체벌과 징계였고, 선생님들은 "너 또 가출
했다며? 제발 가출 성공해라. 그래야 우리가 널 퇴학시키지"라며
비아냥거렸다.

그들에게 나는 그저 눈엣가시였다. 내 인생이나 미래를 생각해

주는 사람은 아무도 없다고 느껴졌다. 더 이상 비상구가 없는 암흑 같은 내 인생을 견디지 못해 뛰쳐나간 세 번째 가출은 성공이었다. 이번엔 경찰도, 엄마도, 그 누구도 나를 찾지 못했으니까.

아직 우린 젊기에, 괜찮은 미래가 있기에, 자 이제 차가운 그 눈물을 닦고 컴백홈

가출 3개월째였던 어느 날, 한때 내 영웅이던 서태지의 '컴백홈'을 듣는 순간 내 가슴 속의 모든 분노와 증오가 오열로 폭발했다. 나는 바보처럼 나를 미워하고 비난하는 사람들이 원하는 대로 삐뚤어져가고 있었던 것이다. "제발 가출 좀 해라. 그래야 니 꼬라지 안 보지"라고 말한 선생님들의 소원을 들어주려고 가출을 한 걸까. 그들이 옳다는 것을 확인시켜 주기라도 하듯, 나 스스로 내 인생을 파괴하고 있었던 것이다. 내 미래를 생각해야 할 사람은 그 누구도 아닌 나 자신이라는 것을 왜 미처 생각하지 못했던 걸까?

얼굴이 눈물로 범벅이 된 나는 용기를 내서 수화기를 들었다.

"여보세요?"

15년간 들어왔던 엄마 목소리가 유난히 낯설게 느껴졌다.

"......"

밤 12시, 매일 밤 내 전화를 기다리던 엄마는 수화기의 침묵너머 내 존재를 단박에 알아챘다.

"수영이니? 수영이야?"

나도 모르게 눈물이 솟구쳤다.

"엄마……"

"우야, 딸아, 지금 어딘고?"

"……"

"딸아, 빨리 집으로 와! 엄마 피눈물 흘리게 하지 말고……"

"……"

엄마의 흐느끼는 소리에 나는 아무 말도 할 수 없었다.

나는 어쩌면 사랑받고 싶어서 그랬는지도 모른다. 남들에게 주목받고 싶어서 일부러 튀는 짓을 했던 것이다. 아무도 말 한마디 걸어주지 않는, 존재감 없는 왕따보다는 차라리 모두가 두려워하는 문제아가 되는 편이 낫다고 생각했는지도 모른다. 술주정하는 아버지가, 무기력하게 울기만 하는 엄마가 미웠지만 엄마 아빠가 걱정할까 봐 위험한 폭력과 사고를 겪으면서도 경찰서나 병원에 가기보다는 얼굴의 상처가 나을 때까지 집에 들어가지 않았다. 그저 '저 이렇게 외로워요. 제발 제게 주목해주세요'라고 무의식적으로 울부짖고 있었는지도 모른다.

아직 젊기에, 하늘을 날고 싶기에 집으로 돌아왔다. 엄마는 날 안고 하염없이 울기만 했고, 아버지는 침묵했다. 그간 엄마는 경찰에 가출 신고를 해놓고 연락이 올 때마다 전국을 헤매고 다녔다. 엄마가 기도할 때 켜놓은 초가 녹고 또 녹은 흔적이 수천 개의 눈물 자국 같아 나는 가슴이 미어졌다.

스무살
서태지 키드의 눈물

아직 찬바람이 가시지 않은 3월 초, 운동장을 가득 채운 교복을 입은 수백 명의 단발머리 아이들과 그 앞 강단에 서 있는 선생님들의 모습이 왜 그리도 어색했던지...... 중학교를 자퇴한 지 1년 반, 검정고시를 거쳐 돌아온 '학교'라는 곳에서의 입학식에 대한 어렴풋한 기억이다. 춥고 어색했던 교실에 햇살이 비추며 온기가 퍼지고, 아이들과 허물없이 지내는 친구가 되기까지는 몇 달이 걸렸다.

수업 종이 울리고 선생님이 들어와도 여전히 수다를 떠느라 바쁜 아이들로 교실은 시장통처럼 시끄러웠다. 부리부리한 눈빛으로 아이들을 바라보며 좌중을 압도한 선생님은 조용히 한마디 했다.

"너희가 상고에 왔다는 게 공부 안 하고 놀아도 된다는 뜻은 아니야. 너희가 정말 노력하면 대학도 갈 수 있고 좋은 회사에 취직할 수 있어. 너희가 20대를 어떻게 출발할지는 지금으로부터 3년간의 노력에 달린 거라고."

순식간에 망치로 머리를 맞은 듯했다.

'정말 상고를 나와서 대학에 갈 수도 있는 걸까?'

대학을 가고 싶다는 생각을 해보지 않은 것은 아니다. 불과 몇 달 전만 해도 초등학교 졸업이 최종 학력이었으니까. 검정고시에 합격한 뒤 중학교 때 담임 선생님을 찾아가 진로 상담을 하며 넌지시 대학 얘기를 꺼냈다. 하지만 선생님은 인문계가 아닌 실업계를 추천했다. 당시 인문계 고등학교는 밤 12시까지 자율학습을 하는데 내가 그걸 견뎌낼 수 없을테니 오후 4시 반이면 끝나는 상고에 가라는 것이다. '대학생'이라는 타이틀이 갖고 싶었던 나는 선생님의 말에 서운하기도 했지만, 밤 12시까지 학교에 있으면 정말 또 가출해 버릴지도 몰라 선생님 말대로 상고에 가기로 했다. 그런데 상고를 나와도 대학에 갈 수 있다고? 정말?

상고에 입학해 첫 중간고사가 다가왔다. '그래도 처음이니까 한 번 공부해보자'라는 생각에 태어나서 처음으로 스스로 책상 앞에 앉아 2주 정도 차분히 공부를 했다. 결과는 생각지도 않은 전교 1등. '세상에 살다 보니 이런 일도 있네?' 하고 신기해하던 나는 어느새 선생님들의 주목을 받기 시작했다. 그렇게 전교 1등을 하자 그다음부터는 선생님들과 부모님을 실망시키기 싫다는 욕심이 생겼고, 3

년 내내 한 번도 전교 1등을 놓치지 않았다. 전교 2등은 여러 번 바뀌었지만, 나는 힘겹게 1등 자리를 유지하며 장학금을 받고 학교를 다녔다.

그러나 전교 1등이라고 해서 뾰족한 미래가 보이는 것은 아니었다. 나 또한 다른 아이들처럼 자격증을 따야 했다. 부기 2급, 정보처리기능사, 정보기기기능사 자격증까지 따면서 조금씩 자신감이 생겨났다. 그래서 가슴속에 묻어두었던 대학에 대한 꿈을 조심스럽게 꺼냈다. 하지만 여기저기 물어보면 상고 나와서 전문대 가는 것도 기적이라고 하니, 내가 불가능한 꿈을 꾸는 건 아닌가 싶기도 했다.

공부를 어디서부터 시작해야 할지 몰라 이것저것 해보다가 졸기 일쑤였고, 도서관 열람실에 가서 책을 보거나 신문을 보면서 한눈을 팔곤 했다. 그러던 어느 날, 신문에 이스라엘군과 팔레스타인 민간인들 사이의 충돌에 관한 기사를 보게 되었다. 충돌을 진압하는 과정에서 이스라엘군이 쏜 총에 팔레스타인 어린아이가 죽었는데, 그 아버지가 죽은 아들을 껴안고 오열하는 사진은 정말 충격적이었다.

내 딴엔 매일매일 전투하듯 살고 있다고 생각했다. 하지만 실제로 끔찍한 전쟁 속에서 고통스럽게 살아가고 있는 그들과 비교했을 때 나의 힘겨움은 부끄러운 어리광에 불과했다. 그들이 생사의 현장에서 살아가야 한다는 것이 너무나 안타까웠고, 이제까지 세상에 이런 일이 있는 줄도 몰랐던가 하는 것 역시 충격이었다. 난 여수에서의 삶이 전부인 줄 알고 아등바등 살았는데, 대한민국이란 사실 이 세계의 아주 작은 땅덩어리에 불과하며 이 세계에는 정말 많은 사람이 다양한 모습으로 살고 있었던 것이다.

며칠간 곰곰이 생각에 잠겼다.

'이 넓은 세상에서 나는 무엇을 할 수 있을까?'

문득 저렇게 세상의 소식들을 전해주는 기자가 되면 어떨까 하는 생각이 들었다. 바로 이거다! 기자가 되어서 사람들에게 세상의 변화들을 알려주는 일을 하며 사는 것. 전쟁터에서 'XXX 뉴스 김수영입니다'하고 리포팅하는 모습을 상상하자 가슴이 뛰었다.

나는 틈만 나면 글을 쓰기 시작했다. 한번은 신문의 독자칼럼에 글을 게재했는데 당돌하게도 '5년 뒤 기자가 되어 있을 김수영'이라며 나 자신을 소개했다. 그리고 기자가 되려면 명문대를 나와야 한다는 독서실 아저씨 말에 공부에 매진했다.

3년 뒤, 나는 연세대 학생이 되었다. 상고생인 내게 허황되게만 느껴졌던 꿈이 현실이 된 것이다. 대학에서 새로 만난 친구들은 대개 서울 출신, 특히 특목고 출신이 많았고 외국에서 살다온 친구도 많아 신기하기만 했다. 친구, 선배들과 신촌 거리에서 사람들 시선은 아랑곳하지 않은 채 가방을 가운데 놓고 원을 만든 뒤 "아카라카! 아라치, 아라쵸 아라치치 쵸쵸쵸 랄랄라 라쿰바 연세 선수 라쿰바 헤이 연세야!" 하며 한바탕 흥을 내기도 했다.

스무 살, 그때만큼 모든 것에 설레고 모든 것에 열정적일 때가 있을까? 수업 시간에 같이 조모임을 하던 친구들과 넘쳐나는 열정을 주체 못해 10장만 써도 되는 리포트를 160장에 달하는 책으로 만들기도 했다. 하지만 나를 무엇보다도 행복하게 한 것은 백양로의 낭만이었다. 봄에는 개나리와 진달래가 환하게 피고, 4월이면 벚꽃이 눈꽃처럼 피어났다. 벚꽃이 우수수 떨어지기 시작할 무렵엔 친구들과 잔디밭에 돗자리를 깔고 앉아 짜장면도 먹고 책도 읽으면서 꽃비를 온몸으로 맞으며 황홀해하곤 했다.

여름엔 본관을 비롯해 지은 지 100년 된 건물들을 덮은 담쟁이 넝쿨이 햇살에 빛나고, 청송대의 은백양나무는 더욱 눈부셨다. 5월에 축제가 열리면 백양로는 한바탕 흥겨운 장이 되었다. 가을에는 잠실 경기장으로 우르르 몰려가 목이 쉴 때까지 하루 종일 응원가를 부르다가 지나가는 빨간 호랑이 티셔츠 무리를 보면 "고대 바보, 고대 바보~" 하고 놀리는 유치한 장난마저도 대학생이라는 자부심의 발로였다.

무엇보다 나는 기자의 꿈을 잊지 않았다. 우연히 신문 광고를 보고 막 출범한 동아일보 인터넷 기자단에 지원해 선발되었다. 1년간 다양한 주제로 40여 개의 기사를 열심히도 썼다. 한번은 동성애에 관한 기사를 쓰려고 관련 온라인 카페에 가입했다가 여러 명의 레즈비언에게 구애를 받았고, 록 콘서트 현장에 가서는 온몸으로 헤드뱅잉을 하며 한 손으로 끊임없이 현장 스케치를 하다가 결국 쓰러지기까지 했다. 얼마나 기사 쓰는 데 몰두했으면 24시간 내내 밥도 안 먹고 화장실도 안 가고 기사를 쓴 뒤 24시간 동안 잠만 잔 적도 있다. 심지어 라면을 끓여 먹으려고 가스레인지에 냄비를 올려놓고는 잠이 들어 24시간 동안 가스불이 켜 있던 적도 있다. 큰 사고가 나지 않은 게 천만다행이었다.

한창 바쁘게 기자로 활동하던 2000년 여름, 서태지의 컴백 소식을 듣고 가슴이 먹먹해졌다. 나도 모르게 눈물을 흘리며 '스무 살 서태지 키드의 눈물'이라는 제목의 자전적 에세이를 단숨에 써내려갔다. '기사도 아닌 이런 개인적 이야기가 설마 출고가 될까?' 하고 망설이며 송고를 했다.

머리가 아닌 가슴으로, 내 인생을 담담하게 쓴 기사여서일까. 놀랍게도 이 에세이는 동아일보 웹사이트를 통해 수백만 독자에게 소개되었고, 최연소 인터넷 기자였던 내가 수백 명의 전현직 언론인과 전문직 출신의 리포터들을 제치고 '2000년 최고 인터넷 기사상'을 받았다. 광화문 동아일보 사옥에서 상을 받으며 그저 멍하니 웃을 수 밖에 없었다. 한때 내 생애 가장 힘겨웠던 시간이 내 생애 최고의 영광이 될 수도 있는 것인가 하는 생각에 삶의 아이러니를 느낄 수 밖에.

얼마 뒤 그 기사는 서태지닷컴에 실렸고 나는 서태지 컴퍼니에서 당당히 저작권료를 받았다. 내 인생을 구제해준 영웅이 그 글을 읽었다는 것만으로도 밤잠을 설칠 만큼 감격스러웠다. 그렇게 기자가 되겠다던 꿈은 생각보다도 훨씬 빨리 이루어졌다. 불과 1년 전만 해도 불가능해 보였고, 모두가 불가능하다고 장담하던 꿈이었는데....... 그 후로 나는 사람이 간절히 원한다면 세상에 못 이룰 게 없음을 진심으로 믿게 되었다.

내 인생의 골든벨

"수영아, 너 11월 27일 스케줄 비워놔라. KBS 〈도전! 골든벨〉이라는 프로그램이 있는데 우리 학교가 출연하기로 했거든."

"네? 어떤 프로그램인데요? 저 논술 공부해야 돼요."

"우린 너만 믿고 있어. 꼭 나와야 된다."

수능이 며칠 남지 않은 쌀쌀한 11월 초, 다소 당황스러워하며 담임 선생님과 대화를 마쳤다. 수능이 끝나고 그게 무슨 프로그램인가 싶어 찾아보았다. 100명의 아이들이 "문제가 남느냐, 내가 남느냐!" 하고 함성을 지르며 50개의 문제에 도전하는데, 끝까지 남아서 50문제 모두 맞히는 사람이 골든벨을 울린다는 콘셉트였다.

촬영 당일, 아이들이 모두 교복에 모자를 쓰는 것이 떠올랐다.

나는 '어떻게 하면 좀 더 튀어 보일까?' 생각을 하다가 PC통신 아이디 '사이버요정' 콘셉트를 연출해보기로 했다. 반짝반짝 빛이 나는 CD를 모자에 붙이고, 마우스를 은박지에 싸서 소품으로 만들었다.

촬영장인 체육관에 도착하자 거대한 장비들과 수많은 카메라, 그리고 실제로는 처음 보는 유명인인 김홍성, 손미나 아나운서가 마냥 신기하기만 했다. 어느덧 촬영이 시작됐고, 김홍성 아나운서가 CD를 이마에 붙인 내게 다가왔다. '사이버요정'이라고 나 자신을 피력하고 당시 즐겨듣던 이정현의 "와"에 맞춰 춤까지 췄다. 춤 연습을 했던 것도 아닌데 생각지도 못하게 어릴 적 끼가 발휘되는 순간이었다.

내 춤에 도전장을 던진 김홍성 아나운서! 천연덕스럽게 "나는 사이버 왕자를 불렀는데 사이버 마당쇠가 나왔구나" 하고 답해 좌중을 웃겼다. 어느 순간 아이들이 하나둘씩 문제를 틀려 탈락해 나갔고, 나와 한두 명만이 남게 되었다.

'이게 꿈일까 생시일까……' 싶으면서도 이상하게 떨리지 않았다. 어느 순간 나와 마지막 문제만이 남았다. '백제의 왕이 왜왕에게 하사한……' 문제를 채 다 듣기도 전에 나는 회심의 미소를 지었다. 몇 달 전 KBS 〈역사스페셜〉에서 본 내용이었기 때문이다. 망설일 것도 없이 '칠지도'라고 답을 썼다. 실업계 고등학교 최초로 9대 골든벨의 자리에 등극하는 순간이었다.

모든 스포트라이트가 나에게 쏟아졌지만 내 눈앞엔 하루 종일

1미터도 채 안 되는 도서관 열람실 책상에서 보냈던 1년 반 동안의 시간이 영화처럼 스쳐 지나갔다. 공부를 하다가 모르는 것이 있어도 물어볼 친구 한 명 없이 혼자 수능공부를 하고, 저녁 먹을 시간도 아까워 집에서 싸 온 고구마와 우유로 허기를 때우다가도 외로움과 답답함을 견디지 못해 매일 서너 종의 신문을 읽고, 하루 한 권씩 책을 읽었던 것이 오늘의 영광을 가져다준 것일까. 문득 부모님 얼굴이 떠오르며 '이제까지 내가 한 불효가 이걸로 조금이나마 용서가 될까' 하는 생각이 들자 눈물이 그렁그렁해졌다.

대학에 가겠다고 결심했던 고등학교 1학년 때, 아버지가 건설 현장에서 허리를 다쳐 반년 가까이 누워 있었다. 자식은 많은데 소득이 늘 불안정했던 우리 집 경제도 휘청거렸다. 엄마가 여기저기 돈을 빌려 매일을 연명했다. 그러다 보니 엄마에게 가장 부러웠던 사람은 바로 여수산업단지에서 일하는 사람들이었다. 안정적인 직장, 그것도 빵빵한 대기업에서 꼬박꼬박 월급 나오고 사택이며 자식들 학비까지 지원되어 온갖 혜택을 받고 사는 그들이 마냥 부럽기만 한 엄마는 "하루 빨리 졸업해서 공단에 경리로 취직해라. 거기서 좋은 사람 만나 결혼도 하고"라고 말하시며 내가 대학의 꿈을 접기를 바랐다. 하루하루 먹고살 돈이 없어 느낀 비참함과 막막함을 내가 경험하지 않기를 원하는 마음에서 한 말이겠지만, 대학에 가고 싶은 내게는 그 말만큼 야속한 것이 없었다.

'일단 대학만 들어가면 학비는 어떻게든 해결이 되겠지' 하고 마음을 다잡으며 공부를 열심히 하면 할수록, 그리고 대학의 꿈이 가까워질수록 학비를 어떻게 마련해야 할지 고민이 커져갔다. 그러던 중 골든벨을 울리며 장학금을 받게 된 것이다.

"여보세요."

바람 소리가 윙윙거리는 수화기 너머로 들리는 엄마의 목소리는 지쳐 있었다.

"엄마! 나 골든벨 울렸어!"

"뭐? 뭘 울려?"

"내가 TV 출연한다고 그랬잖아! 나 장학금 100만 원 탔다구!"

"아이고, 아이고 하느님 아버지······."

수화기 너머의 엄마는 흐느끼고 있었다. 고집쟁이 딸이 그렇게 하지 말라고 해도 혼자서 공부를 하더니 꽤 높은 수능 점수를 받아 대학에 가는 것이 기정사실화된 상황에서 학비를 마련하기 위해 엄마가 할 수 있는 일이라곤 여기저기 골목에 널린 폐지를 주워서 고물상에 가져다 파는 것뿐이었다. 박스 하나에 단돈 50원, 그 돈을 벌겠다고 추운 날 리어카에 박스를 가득 싣고 언덕을 올라가던 엄마는 내 전화를 받고 길거리에 주저앉아 한참을 울었다고 한다.

돌이켜보면 모든 것이 실로 운명적이었다.

당시 교장선생님이 촬영 유치를 위해 〈도전! 골든벨〉 제작진을 찾아가 부탁하자 제작진들은 신청받은 학교가 너무 많다며 거절했다고 한다. 그런데 나이가 지긋한 교장선생님이 세 번이나 여수에서 서울로 올라와 간곡히 부탁하자 이를 차마 거절할 수 없어 성사되었다. 그런데 막상 녹화가 성사되고 나자 이번엔 "아니 전국적으로 학교 망신시킬 일 있어요?"라며 모든 교사가 반대를 했다고 한다. 그래도 끝까지 추진했는데 정작 학교에 체육관이 없어 결국 시립 체육관까지 빌려야 했다. 지금 생각하면 내 운명을 바꾸려고 그모든 장애를 넘어서 〈도전! 골든벨〉 프로그램이 성사된 것은 아니었을까?

TV 방영 이후의 반응은 엄청났다. 하루에 200통씩 팬레터가 쏟아지며 팬사이트가 생겼고 연예 기획사에서 키워주겠다는 제안을 해 오기도 했다. 여러 신문에 기사가 났고, 〈도전! 골든벨〉 책의 표지 모델이 되었다. 그해 겨울 KBS 겨울방학 특집 〈열린음악회〉에 당당히 유명 연예인들과 함께 출연하기도 했다. 또 각종 단체에서 상이 쏟아졌다.

그렇게 내 인생의 골든벨이 울렸다. '일단 수능을 보고 나면 학비는 어떻게든 해결되겠지'라는 막연한 생각은 골든벨을 울리면서 현실이 되었다. 대학에 최고 점수로 진학하는 남학생 한 명에게만 2년간 부분 장학금을 지급하던 고등학교는 여학생도 장학금을 받을 수 있도록 규정을 바꾸었다. 여수시청에서도 내게 특별 장학금을 1년간 주었고, 한 기업에서는 심지어 입사 특전과 함께 전액 장학금을 준다고 했다. 그간의 모든 고민과 좌절이 씻기며 가난한 상고생에서 당당한 대학생으로 변신하게 된 것이다.

하지만 그러한 유명세나 장학금보다도 날 뿌듯하게 했던 것은 바로 "넌 가출 안 하냐? 제발 가출 좀 해라. 그래야 퇴학시키지"라며 한때 나를 눈엣가시 취급하던 한 선생님의 사과였다. 선생님은 자신이 너무 심했다고, 내가 이렇게 잘 성장하리라고는 상상도 못 했다며 진심으로 미안하다고 했다. 세상에 복수를 하는 여러 가지 방법이 있겠지만, 가장 통쾌한 복수는 훨씬 더 멋지고 당당한 모습으로 나타나 그들의 생각이 틀렸음을 증명해 보이는 것이 아닐까. 그들이 장담했던 대로 내가 막 나가는 인간쓰레기로 살고 있었다면 나를 학교에서 밀쳐낸 그들이 백번 옳았을 것이다. 하지만 나는 가능성이 충만한 존재임을 TV 화면을 통해 증명한 것이다.

한동안 여수 진입 도로에 걸린 '여수정보과학고 골든벨 김수영, 연세대학교 인문계열 합격!'이라는 플래카드를 볼 때마다 어안이 벙벙했던 것처럼, 갑자기 미운 오리새끼에서 백조가 된 현실이 믿기 어려웠다. 하지만 그간의 눈물과 설움으로 충분했다고, 주식 증시가 한번 바닥을 치면 상승하는 것처럼 이제 내 인생도 상승할 일만 남았다며 그동안 고생한 나 자신을 축하하고 격려했다. 간절히 원하고 노력하다 보면 이렇게 웃을 날도 있는 법이다.

앞선 출발선이 앞선 인생을
의미하지는 않는다

골드만삭스에 근무하던 시절, 여름만 되면 대학생 인턴이며 MBA 인턴 그리고 고등학교를 갓 졸업한 속칭 '베이비 인턴' 등으로 사무실의 사람 수가 확 늘곤 했다. 대학생 인턴이나 MBA 인턴이야 치열한 경쟁을 뚫고 들어온 인재들이다. 하지만 베이비 인턴들은 헤지펀드나 투자운용사의 사장 및 펀드매니저의 아들딸이 대부분이고, 이름만 대면 다 아는 유명한 차기 대선 주자 정치인 아들도 있었다.

한 달간 사무실에 나와 딱히 하는 일도 없으면서 앉아 있는 그들을 보며 기분이 씁쓸했다. 부모님 덕에 대학 입학도 하기 전부터 이력서에 골드만삭스라는 '황금 테'를 두르고 나중에 나처럼 혼자 힘으로 세상을 온몸으로 부딪치는 이들과 경쟁하는 것이 불공평하다는 생각에, 또한 '내 평생 부모님 덕 한 번 볼 수 있을까' 하는 자조적인 생각에 그런 기분이 들었던 것이다.

하지만 그건 아무것도 아니었다. 영국에 유학 와보니 전 세계 온갖 부잣집 아들딸들이 다 모여 있었다. 대학원에서 만난 러시아 석유 재벌 딸은 런던의 청담동이라 할 수 있는 나이트브리지에 고급 아파트를 얻어 살면서 딱히 하는 일 없이 사교계 생활과 해외여행으로 바쁜 나날을 보냈다. 내가 취업에 목매고 있을 때 기업의 후계자로서 경영 수업을 앞두고 있는 태국의 재벌그룹 외동아들은 "그 월급으로 명품 셔츠 하나 사면 끝난다"라면서 동동거리는 나를 비웃었다. 중국의 공산당 고위 간부 딸은 아버지 돈으로 부동산 투자를 하고 다녔다.

처음에는 그들이 참 부러웠다. 하지만 점점 그들을 지켜볼수록 돈이 있다고 해서 행복하거나 성공하는 건 아니라는 생각이 들었다. 태국 재벌 2세 친구는 누군가 그가 런던의 게이클럽에서 노는 모습을 사진으로 찍어 태국 언론에 폭로한 뒤로 대학원을 마치자마자 아버지 손에 끌려 군대에 갔다. 아버지 돈으로 부동산 투자를 하던 중국 친구는 10억 원을 투자한 고급 스파가 현지 마케팅 지식 부족으로 3개월 만에 문을 닫으면서 한 푼도 회수하지 못했다. 러시아 친구는 계속 되는 사교 생활이 지겨워져서 취직을 하려고 했지만 경력이 없어 생각보다 쉽지 않다며 우는 소리를 했다.

반면 중국 컨설팅 회사를 차렸던 대학원 친구 다니엘은 다른 대학원 친구인 에드워드를 파트너로 끌어들이며 사업을 키워갔다. 두 사람은 사무실을 구할 돈도 없어 다니엘의 아파트에서 일했고, 하루에도 수백 통씩 전화를 걸며 영업에 나섰지만 전화를 끝까지 받아주는 사람이 손에 꼽을 정도였다. 겨우 일거리가 생겼을 때도 직원을 고용할 돈이 없어 무급으로 대학생 인턴들을 뽑았고, 수입이 불안정해 1년간 그동안 모은 돈을 까먹고 살았다. 그렇지만 밤잠을 설치며 일하던 두 사람의 노력이 2년 만에 빛을 발했다. 그들은 런던, 뉴욕, 북경 등에 사무실을 두고 직원 30명이 있는 건실한 중소기업으로 성장해갔고 투자자를 찾아 홍콩에 주식회사까지 차렸다.

내가 골드만삭스의 베이비 인턴들을 보며 씁쓸해하고 부모님과 사회를 원망하던 시절, 이에 아랑곳하지 않고 실력 하나로 승자가 된 30대의 여자 상무님이 계셨다. 그분도 나처럼 시골 상고 출신으로 고등학교를 졸업하자마자 은행에 고졸 행원으로 입사했지만 주경야독으로 야간 대학교를 졸업했다. 대학을 졸업한 뒤 다른 외국계 투자운용사로 자리를 옮겨 일하다가 골드만삭스의 한국 지사 창립 멤버로서 상무자리까지 올랐다. 실력 하나로 다른 이들을 앞서 갈 수 있음을 증명해 보인 것이다.

한번은 주말에 그녀를 우연히 회사 앞에서 만났는데 영어 스터디 모임을 갔다 오는 길이라고 했다. 외국계 회사 근무 경력만

10여 년이고, 내가 보기에 영어를 유창하게 구사하는 그녀가 아직까지 영어 스터디를 한다는 얘기에 깜짝 놀랐다. 아무것도 없는 상태에서 여기까지 온 것은 결국 그녀의 지독한 노력 덕분이었던 것이다.

인생은 오래 살아봐야 아는 법이다. 세상의 온갖 부와 권력을 거머쥐고도 인생의 애환을 못 이겨 자살하는 이가 있는 반면, 상상조차 하기 힘든 상황에서도 무에서 유를 창조하는 이들이 있으니 돈이나 배경보다 자신의 의지와 능력이 더욱 중요한 것이 아닐까. 출발점은 다를지언정 결국 우리 모두는 인생이라는 마라톤을 뛰어야 한다. 나보다 앞서서 출발한 사람들을 질투하며 게임이 불공평하다고 불평만 하지 말고 계속 뛰어서 그들을 따라잡는 것이 중요하다.

집이 가난해서, 학벌이 좋지 않아서, 뚱뚱해서, 못생겨서 등의 이유로 자신의 꿈을 포기하는 한편 더 나아가 남의 꿈까지 꺾어버리는 사람들이 있다. 세상에 나보다 잘난 사람들, 더 좋은 여건에 있는 사람들은 수억 명인데 그들과 자신을 계속 비교하면 한평생 평계만 대고 살 수밖에 없다. 그건 마치 마라톤에서 나보다 앞서 달리는 사람들을 보며 '저 사람은 나보다 좋은 운동화를 신었어' '저 사람은 나보다 응원해주는 사람이 더 많아' '저 사람은 나보다 먼저 출발했단 말이야'하고 불평하며 달리는 것을 중단하는 것과 마찬가지다. 그 사이에 내 뒤에 있는 사람들은 계속해서 나를 앞질러 나갈 것이다.

그런 불평불만과 핑계를 늘어놓을 시간에 어떻게 하면 돈을 벌고, 학위를 따고, 살을 빼 예뻐질 수 있을지 알아보고 실천에 옮기는 것이 더욱 현명하다. 꿈을 이루는 데 장벽이 있다면 그 장벽을 어떻게 뛰어넘을 것인지를 고민해야지, 고민거리 자체를 고민한다고 뭐가 달라지지는 않는다.

너무 어렵다고, 부족하다고, 시간이 없다고, 늦어서 불가능하다고 핑계만 대고 살기에는 인생이 너무 짧다. 도전할 때 꿈은 현실에 한 발짝 가까이 다가서지만 도전하지 않으면 꿈은 저 멀리 있는 달나라 이야기에 불과하다.

우리가 비교할 수 있는 유일한 대상은 바로 과거의 나 자신이다. 내가 숱한 실패와 시행착오를 통해서 과거보다 현명해지고 성숙해졌다면, 내가 어떤 사람인지, 내 인생을 어떻게 살고 싶은지가 조금이나마 명확해지고 있다면 나는 점점 나아지고 있는 것이다.

한국인이라서 안 된다고요?

"수영 씨는 왜 연세대까지 나와서 영국으로 유학을 왔어요?"

"네? 연세대 나왔다고 해서 유학 오면 안 되나요?"

"아니, 곱게 있으면 재벌가에 시집이라도 갈 텐데, 왜 굳이 와서 고생을 하나 싶어서."

"하하하, 연세대 나왔다고 재벌가에 시집가면 대한민국에 재벌이 도대체 몇 명이나 있어야 하게요. 전 재벌이랑 결혼하는 건 관심 없고요, 앞으로 30년 정도 외국을 돌아다니며 살고 싶어요. 일단은 여기 영국에서 취직해보려고요."

"여기서 동양인이 취업이 될 것 같아요? 내가 아는 일본 사람은 런던 비즈니스 스쿨London Business School에서 MBA까지 했지만 결국 취업 못하고 일본으로 돌아갔어요. 나도 몇 번 시도해봤는데 안 되더라고요. 역시 동양인은 안 되나 봐요."

대학원 시절, "식사 한번 해요"하고 인사를 나누던 다른 한국인 학생과 점심을 먹던 날 화가 치밀어서 밥맛이 뚝 떨어졌다. 평생 '네 분수를 알아라' '너 같은 게 되겠냐'라는 말에 계속해서 도전하며 살아온 내게 그런 말을 하는 것은 마치 타오르는 장작에 기름을 붓는 것과 같았다.

"아, 진짜 밥이 맛없네. 역시 쌀은 한국 쌀이 최곤데"라며 우걱우걱 억지로 숟가락을 입에 집어넣는 그를 숟가락으로 한 대 때려주고 싶은 충동을 참으며 겨우 식사를 마쳤다. 패배주의적인 그의 말을 듣고 있으려니 그 생각이 틀렸다는 것을 보여주기 위해서라도 꼭 영국 현지 취업에 성공해야겠다는 오기가 생겼다.

그렇지만 매일같이 날아드는 "죄송합니다. 불합격입니다."라는 이메일에 주눅들지 않을 수 없었다. 인터넷을 통해 '영국 취업 가능성' '해외 취업'같은 키워드로 열심히 검색을 하며 정보를 모아봤지만 '외국인으로서 영국에 취업하기란 하늘에 별 따기'같은 글만 눈에 보일 뿐이었다. 답답한 마음에 한 게시판에 "한국 사람이 영국에서 취업할 수 있을까요?"라는 질문을 올렸다. 영어를 원어민처럼 구사하지도 않고, 경력직도 아니고, 비자 문제까지 해결해줘야 하는 토종 한국인을 왜 영국 회사들이 뽑겠느냐, 정신 차리고 한국으로 돌아오라는 댓글이 줄줄 올라왔다. 하지만 나는 과감히 그 글들을 무시하고 나 자신을 믿기로 했다.

시간이 흘러 해외에서 성공한 한국인들과 세계 곳곳에서 자신의 꿈을 이룬 사람들을 만났을 때 나는 아주 중요한 사실을 깨달았다. 성공한 사람들은 바빠서 인터넷으로 남들에게 이래라 저래라 하는 댓글을 달 시간이 없다는 것을 말이다. 또 자신이 진정으로 원하는 꿈을 위해 간절히 노력해본 사람은 타인의 꿈을 함부로 짓밟고 무시하지도 않는다. 내 꿈을 이미 이룬 사람들을 쫓아다니며 그들에게 하나라도 더 배울 시간도 부족하다. 그런데 누군지도 모르는 불특정 다수나 내 꿈에 대해 잘 알지도 못하는 소위 '주변 사람들'의 다수결 의견으로 내 꿈을, 내 인생을 결정하는 것은 얼마나 위험한 선택인가.

마침내 잡오퍼를 받은 뒤 나는 한국과 영국 두 나라에서 수백 번 입사 원서를 넣고, 수십 번 인터뷰를 하고, 수십 번 떨어지면서 깨달은 경험담을 내 블로그를 통해 나누기 시작했다. 모두가 안 된다고 할 때 누군가는 된다는 것을 직접 보여줘야 해외 취업을 생각하는 사람들이 좀 더 균형 잡힌 시각을 갖고 도전할 것이라는 생각에서였다.

얼마 되지 않아 하루에도 수십 명에게서 이메일을 받았다. 잠깐 체류했던 외국 생활이 너무 그립다, 한국이 답답하다, 일벌레가 아닌 인간답게 살고 싶다는 젊은 친구들의 고민이 다수였다. 한편으로 외국인 남자와 결혼하여 외국에 왔지만 현지 취업은 엄두도 못

내고 집에만 틀어박혀서 우울증에 걸렸다는 새댁, 정리해고 당하고 1년 넘게 실직상태인 50대 가장 남편을 보다 못한 아내, 집 나간 엄마를 대신해 매일 아버지 저녁을 차리고 집안일을 하는 것이 너무 답답해 외국에 가버리고 싶다는 10대 소녀 등 다양한 사연이 쏟아졌다. 모든 이메일에 일일이 답장할 수가 없어서 더 열심히 블로그에 글을 썼다.

그렇게 많은 사람의 질문들 중 나를 가장 답답하게 한 것은 "정말 한국인도 취업시켜주나요?"라는 질문이었다.

고등학교 일반사회 시간에 수도 없이 배웠던 '재화와 인간의 자유로운 이동'이 매 순간 일어나고 있는 21세기에 국적은 큰 의미가 없다. 꼭 무슨 거창한 LPGA나 프리미어리그만 그런 게 아니다.

영국에서 지내던 시절, 나의 하루를 잠깐만 들여다봐도 그렇다. 아침에 일어나 리투아니아 출신의 리셉셔니스트가 반겨주는 헬스클럽에서 세네갈 출신의 퍼스널 트레이너와 운동을 마치고 회사로 향한다. 회사에 도착해 슬로바키아 출신 상사와 인사를 나누고, 간밤에 인도에 있는 데이터 센터에서 보낸 리포트를 읽으며, 메신저로 필리핀에 있는 재무센터에 지시를 내린다. 점심은 프랑스와 독일에서 온 동료와 함께 피자를 시켜 먹고, 오후에는 현장에 나가 스리랑카 출신의 점원들과 대화를 나눈다. 저녁은 캐나다, 터키, 불가리아, 콜롬비아 친구들과 함께 태국 식당에서 먹고 이집트와 폴란드 강사가 있는 살사클럽에 가서 잠깐 몸을 푼다. 집에 돌아와서는

SNS를 통해 전 세계의 친구들에게 안부를 전하고 잠이 든다. 런던의 인구 30퍼센트가 외국인이고 40퍼센트가 유색 인종이다 보니 가끔 나 자신조차 내가 외국인이라는 사실을 잊으며 살았던 시절이다.

한국처럼 고학력 인재가 넘쳐나는 나라도 세계에서 몇 안 되며, 땅덩어리는 작고 일자리는 한정되어 있으므로 한국인들이 해외로 관심을 돌리는 건 당연한 수순이 아닐까. 지금보다 훨씬 더 헐벗고 못살던 1960, 70년대에 수백만 명의 한국인이 먹고살기 위해 미국의 세탁소부터 중남미의 사탕수수 농장까지 이민을 갔고 지금은 프리미어리그에서도 뛰고, 미국 빌보드차트에도 진입하고, 심지어 UN 사무총장까지 한 한국인들이 있다. 블로그에 해외 취업에 관한 글을 연재한 2007년 이후 내 글을 읽은 많은 이들 또한 해외 취업에 성공해 전 세계 곳곳에서 행복하게 살고 있다. 나 혼자 별난 사람이라 해낸 것이 아니라 정말 원하고 노력하면 누구나 이룰 수 있는 것이다.

그 과정에서 무엇보다 중요한 것은 자신감이다. 많은 사람이 "나이가 많아서……" "경력이 다른데 가능할까요?" "영어를 못하는데 어떡하죠?" 같은 고민을 하지만 차라리 그 고민할 시간에 경력을 쌓고 영어 실력을 늘리면 될 것 아닌가.

한번은 해외 취업을 하고 싶다는 한 여성이 자신의 계획을 이메일로 보내왔다. 전문대를 나와 학벌 콤플렉스에 시달리는 그녀는 편입 준비를 해서 4년제 대학에 들어가겠다고 했다. 그러고 나서 1년 정도 영어 공부를 하고, 다시 1년간 유학 준비를 해서 외국에 석사 유학을 가고, 이후 1년간 구직 활동을 할 계획이란다. 그런데 그러고 나면 나이가 서른두 살이 되어 고민이라고 했다. 학벌주의 사회가 싫어 외국에 가고 싶다면서 정작 외국에 나가면 알아주지도 않을 명문대 졸업장을 따기 위해 도대체 몇 년을 그렇게 도서관에서 썩으려고 하는지, 이메일을 읽으며 한숨이 났다.

공부가 성공을 보장해주는 시대는 지났다. 회사가 정년까지 일자리를 보장해주는 것 또한 과거의 이야기다. 미래학자 토머스 프레이에 따르면 2030년에 20억 개의 일자리가 사라지고 일자리의 절반이 기계로 대체된다고 한다. 그렇다면 결국 한 사람의 가치를 결정짓는 것은 대체가능성의 유무가 아닐까? 아무리 고학력에 전문직이라 할지라도 대체할 수 있는 사람이나 로봇이 많다면 그 사람의 노동 가치는 절하된다. 반대로 청소를 하더라도 그 사람만의 특별한 기술이나 스토리가 있다면, 그래서 그 사람을 대체하기 힘들다면 스스로 자신의 가치를 결정지을 수 있는 것이다.

무한경쟁시대라고 해서 절망적인 것만은 아니다. 대한민국은 인구로 보나 땅덩어리로 보나 지구 전체의 1퍼센트도 채 되지 않는다. 국내에서는 레드오션인 산업일지라도, 지구별의 99퍼센트 어디에선가는 블루오션이 될 수도 있고, 한국에서는 너무 개성이 강해 사회생활에 부적합하다고 여겨지는 사람이 다른 나라에선 창의적인 인재로 인정받을 수도 있다. 특히 경제적으로 성숙 단계에 이른 우리나라와 달리 성장 단계에 있는 국가에 가면 더 많은 기회가 있다.

간디는 '생각이 바뀌면 행동이 바뀌고, 행동이 바뀌면 운명이 바뀐다'라고 말했다. "내 주제에 뭘 할 수 있겠어?"라고 생각 자체에 한계를 짓는다면 그 사람의 삶은 달라지지 않을 것이다. 한 번뿐인 삶, 기왕이면 더 크게, 더 넓게 꿈을 가져보자. 사람의 인생은 자신이 가진 꿈의 크기를 넘어서기 힘든 법이니까.

서른 되기 전에
1억 모으기

대학 시절, 생활비를 벌기 위해 다양한 아르바이트를 했다. 벤처기업 콘텐츠 기획자, 아파트 청약 신청 접수원, 시장조사 면접원, 백화점 고객 서비스 모니터, 단순 데이터 입력, 번역, 인터넷강사, 모델, 기자 등.

그렇게 번 돈이 아까워 나는 짠순이 생활을 했다. 옷 살 돈은 커녕 책 살 돈도 부족해 늘 도서관에서 책을 빌리거나 서점에 가서 하루종일 앉아 책을 읽다 오곤 했다. 그런 내가 유일하게 돈을 투자한 것은 여행이었다. 돈을 아끼려고 배낭 하나 메고 돌아다니며 바퀴벌레가 기어가는 호스텔에서 자고 히치하이킹도 종종 하면서 기억에 남는 인연을 만들기도 했다.

특히 호주 교환학생을 앞두고 경비를 모으기 위해 휴학했을 때의 내 생활은 아르바이트가 전부였다. 아침 9시부터 오후 5시까지는 맥킨지에서 리서치 아르바이트를 하면서 점심시간에 짬을 내 백화점에 가서 고객 서비스 모니터링을 하고, 오후 5시에는 리서치회사의 좌담회에 가서 이런저런 얘기를 하다가 저녁 6시부터 8시까지 첫 번째 과외를 하고, 이후 10시까지 두 번째 과외를 했으며, 11시에 집에 와서는 번역 일까지 했다.

지금 돌이켜보면 정말 살인적인 스케줄이었는데, 호주에 간다는 기대감과 젊음 하나로 그 스케줄을 소화해 4개월 만에 1,000만 원 넘게 모았다. 밥 먹을 시간도 없어 매일 1,000원짜리 김밥을 한 줄 사서 지하철에서 먹으면서도 아르바이트 장소를 이동하는 틈틈이 시간을 쪼개 매일 한 권씩 책을 읽었다.

그렇게 힘들게 번 돈이 아까워 호주에서도 레스토랑에는 거의 가 본 적이 없고, 돈 몇 푼 더 아끼려고 코앞의 동네 슈퍼보다는 몇 정거장이나 떨어진 시장에 캐리어를 끌고 가서 떨이용 고기와 채소를 가득 담아 와 아껴 먹곤 했다. 닭 한 마리를 사면 일단 내장을 깨끗이 정리한 뒤 배 속을 마늘로 채우고 물에 넣고 끓였다. 닭고기가 익으면 살점 따로 뼈 따로 정리해서 살점은 볶아 먹거나 샐러드용으로 먹고, 뼈는 닭볶음탕용으로 그리고 냄비 속의 국물과 온갖 남은 채소를 넣어 닭죽을 만들어 먹으며 일주일을 버티곤 했다.

과외의 경우 1학년 때부터 졸업하고 회사에 다닐 때까지 했으니, 그야말로 5년 경력의 베테랑인 셈이다. 다섯 살 미취학 아동부터 30대 변호사까지 과외 대상도 다양했다. 일산에서 강남까지 나의 과외 인생은 그야말로 파란만장했는데, 늘 바쁜 생활에 피로가 누적되다 보니 학생들에게 부끄럽게도 과외를 하다가 졸기도 했다. 수업을 하다가 어느 순간 갑자기 말도 안 되는 소리를 시작하면 내가 반쯤 졸고 있다는 신호인데, 어떤 학생은 내가 조는 것에 익숙해져서 그때쯤이면 알아서 커피를 대접하기도 하고 정 가망이 없어 보이면 자습을 하기도 했다. '마릴린 먼로'와 '마크 트웨인'이 같은 마 씨니까 친척 아니냐고 묻던 엉뚱한 학생이 있었는데, 한번은 내가 과외 중 너무 졸려서 화장실에 간다고 해놓고 거실 소파에서 30분간 잠이 들어버려 미안한 마음으로 방에 돌아왔더니 아이 역시 졸고 있어서 한참을 웃었던 기억도 있다.

하지만 강남의 60평대 고급 아파트, 일산의 그림 같은 예쁜 주택들로 과외를 다니다 보면 나도 모르게 자괴감에 빠지곤 했다. 한 압구정동 사모님은 보통 내가 받는 과외비보다 훨씬 많이 주면서도 "저희 집 형편이 어려워서 과외비를 이것밖에 못 드리겠네요"하며 미안해했다. 그 집에 계시는 파출부 아주머니를 볼 때마다 한때 파출부로 일했던 엄마 생각에 코끝이 시큰해지기도 했다.

그렇지만 '저 사람들이 부자가 된 데는 이유가 있을 거야. 분명히 저 사람들 혹은 저 사람들의 부모 또는 그 부모들이라 할지라도 남다른 데가 있었고 열심히 노력해서 부를 축적했겠지. 나도 나중에 부자가 될 거야' 하며 스스로를 위로했다. 그러다가도 과외를 잘리는 날이면 '친구들은 학비 걱정은커녕 용돈뿐 아니라 어학연수까지 부모님 지원으로 가는데, 난 언제까지 이렇게 고군분투해야 할까'하는 생각에 한없이 우울해지곤 했다.

'다시는 돈 때문에 우울해하지 말아야지. 돈에 끌려 다니는 게 아니라 돈이 저절로 굴러들어오게끔 하자'라고 생각했지만, 그것이 말처럼 쉽지는 않았다. 골드만삭스 재직 중에는 입사를 조건으로 장학금을 받았던 회사에 그간 받은 장학금을 돌려줘야 했고, 전세금을 털어 영국에 온 뒤에는 살인적인 물가에 매일 줄어드는 은행 잔고를 보며 여기저기 아르바이트 지원을 했지만 스타벅스마저 떨어져 좌절했다.

그러다 우연히 번역 일을 하게 되면서 생활비 문제를 해결할 수 있었다. 대학 전공으로 영어영문학과를 선택하면서 '나중에 먹고살기 힘들면 번역이나 하지 뭐'라고 생각했는데, 말이 씨가 되었나 보다. 번역 일을 하다 보니 특히 시급이 가장 높은 의학 번역 일을 주로 맡게 되었다. 위암, 당뇨병, 독감, 신부전증 등 온갖 종류의 질병이나 특수한 수술 기법 또는 신약 소재에 관한 의사들의 심층 토론을 한국어로 듣고 영어로 보고서를 쓰는 일이었다. 신약 개발에 기여한다는 생각으로 열심히 하긴 했지만 매번 새로운 의학 용어를 배워야 하고 똑같은 내용을 수십 번 듣는 것이 쉽지는 않았다.

셸에 입사한 뒤에도 투잡 삼아 번역 일을 계속했다. 다행히 영국

고객들은 프로젝트가 있기 몇 달 전부터 알려주기 때문에 미리 스케줄을 조정할 수 있었지만 막상 프로젝트가 닥치면 최소 일주일에서 최대 3주까지 주말과 저녁 시간을 포기해야 했다. 친구들도 만나지 않고 날밤을 새면서 마감을 맞췄다. 심지어 여행 중에 급히 프로젝트가 잡혀 모든 일정을 중단하고 숙소에 틀어박혀 일만 한 적도 있다.

회사 일과 번역 일로 하루 15시간씩 컴퓨터 앞에 앉아 있다 보면 온몸이 쑤셔오고 눈앞이 뿌옇게 되기도 했다. 내 이름을 걸고 하는 일이기에 허투루 할 수도 없고, 그렇다고 부업에 너무 몰입하면 본업에 충실하지 못하니 고민이 커져갔다.

'회사 일은 더 재미있지만 50퍼센트에 가까운 세금과 월 200만 원이 넘는 월세를 제외하고 나면 큰 돈을 모으기는 힘들고, 번역은 전 세계 어디서나 할 수 있는 자유로운 일이고 보상이 크지만 적성에 맞지 않는데 무엇을 선택해야 할까?'

회사일과 번역일, 둘 중에 하나를 선택하는 것 또한 너무 어려웠다. '진짜 비즈니스 배우기'와 '한 분야의 전문가 되기' 둘 다 내가 이루고 싶은 꿈이고 서른 살에 '부모님 집을 사드리기'라는 꿈 또한 너무나 간절하게 이루고 싶었으니 말이다. '둘 다 이룰 수 있는 방법은 없을까?' 하고 한참을 고민하다 나는 중요한 사실을 깨달았다.

"왜 내가 모든 일을 다 직접 해야 한다고 생각한 거지? 내가 좋아하지 않는 일이지만 이 일을 좋아할 사람이 세상 어딘가에 있을 텐데!"

나는 아예 번역 전문 회사를 등록하고 의학, 약학, 생물학, 화학 등을 전공한 프리랜서 번역가들을 고용하고 적극적으로 클라이언들에게 어필해 더 많은 프로젝트를 따냈다. 물론 그 과정이 쉽지만은 않았다. 데드라인 직전에 번역자가 잠수타서 밤새 그 일을 대신해야한 적도 있었고, 클라이언트가 6개월이 넘게 번역료를 지급하지 않아 속을 까맣게 태우기도 했다.

하지만 이것 또한 비즈니스 연습이라 생각하며 끝내 돈을 받아냈고 여러 돌발 상황을 거친 후 믿을 만한 이들과 파트너 관계로 일을 할 수 있게 되었다. 어느 정도 경험이 쌓이자 내가 경영만 할 수 있도록 시스템이 안정화되었고 셸에서의 업무와 병행하는 데 전혀 지장을 주지 않았다.

그렇게 열심히 노력한 결과일까. 3년간 차곡차곡 모은 돈이 1억 원이나 되었다. 열심히 살면서도 여행 다니며 하고 싶은 거 다 했으니 나쁘지 않은 셈이다. 물론 재테크의 달인들이 보기에는 무식하게 일만 해서 돈을 모았다고 하겠지만, 내게는 더없이 소중한 최초의 종잣돈이었다.

돌이켜보면 내 인생의 가장 큰 축복 중 하나는 스무 살에 독립한 것이다. 집안 사정상 어쩔 수 없는 선택이었지만 생존을 위해 다양한 경험을 해본 것이 내 적성을 찾고 내 삶을 내 맘대로 살 수 있는 자유를 주었으니 말이다. 부모님께 경제적으로 의존하면서 잔소리 듣지 않고 자유롭게 살고 싶다는 것은 어불성설이다. 누군가에게 경제적으로 의존하고 있다면 자신의 삶을 100퍼센트 살기 힘들다.

나는 스무 살이 넘은 성인의 우선순위는 첫째, 경제적 독립, 둘째, 정신적 독립이라 생각한다. 그 두 가지를 이루고 나서 꼭 도움이 필요한 가족을 정신적으로, 경제적으로 돕는 것이 인생 과업의 순서가 아닐까. 물론 정에 약한 우리 정서상 가족에 대한 의무를 칼같이 끊어내기 힘들다면 나처럼 '서른 살' '3년'과 같은 기한을 정해두면 어떨까? 그렇다면 그 목표를 달성해 나가는 과정이 '밑 빠진 독에 물 붓기'가 아닌 또 다른 도전이 될 테니까.

Part 3

드림프로젝트는 계속된다

．
．
．

나 역시 성장을 위해 수도 없이 알 속에서

머리를 부딪치며 뜨리는 고통을 감내해야 했다.

'가난', '문제아', '상고생'이라는 꼬리표의 알.

하지만 그 알을 깨뜨리고 나자 나는

한 명의 독립적이고 자유로운 새가 될 수 있었다.

마라톤과
인생의 공통점

살면서 하고 싶은 일 73가지를 쭉 적으면서 이유는 모르겠지만 마라톤을 하겠다고 적었다. 사실 뭐하러 42.195킬로미터나 뛰는지 잘 이해도 안 되고, 그렇게 많이 뛰면 무릎과 심장에도 안 좋다는 걸 안다.

하지만 죽음이라는 것에 대해 처음으로 생각해본 시점이라서 그럴까, 살아서 한 번쯤은 그렇게 쓰러질 때까지 달려봐야 한다는 막연한 생각에서 마라톤을 꿈꿨다.

그런 내게 마라톤에 대한 마음속의 불씨를 피워준 사람이 있다. 리비아 출신의 동료이자 친구인 히샴이다. 그는 '마라톤이 너를 겸손케 하리라The Marathon can humble you'라는 미국의 러너 빌 로

저스의 말을 인용하면서 런던 마라톤에 출전하기 위해 몇 달간 술은 물론이고 사교 활동도 포기하면서 강도 높은 트레이닝을 하고 식단을 조절했다.

이를 통해 맹인들을 위한 기부금을 모으겠다며 자신의 트레이닝 상황을 알려주었고 나를 비롯한 수많은 사람이 약 800만 원 가까이 기금을 마련해주었다.

결전의 날이 밝았고, 마라톤에 관심은 없었지만 히샴을 응원하러 나가기로 했다. 도착하자마자 갑자기 비가 억수같이 쏟아지기 시작했다. 우산을 쓰고도 바지가 다 젖을 정도인데, 몸을 거의 다 드러낸 마라토너들은 비 맞은 생쥐 꼴로 숨을 헐떡이면서 뛰고 또 뛰었다.

사람들은 자신이 직접적으로 응원하는 사람이 아니어도 티셔츠의 이름을 보고 "Go Tony! Go Chris!" 하며 소리 높여 응원했고, 이를 들은 마라토너들은 더욱 힘을 내어 뛰었다. 마라토너의 복장도 가지각색이었다. 자신이 후원하는 자선 단체의 로고가 담긴 티셔츠를 입은 사람, 슈퍼맨이나 피에로 복장을 한 사람, 해바라기나 동물 모양의 옷을 입은 사람, 계속 저글링을 하며 뛰는 사람, 거의 벗고 뛰는 사람 등 모습은 제각각이지만 다들 이마의 땀을 닦을 틈도 없이 계속 뛰고 또 뛰었다. 그들 중 가장 감동적인 사람은 의족으로 뛰는 사람이었다. 양다리가 없이 골반 아래의 의족만으로 상당한 속력으로 뛰는 모습에 나도 모르게 눈물이 고였고, 큰 소리로 응원했다. 비가 억수같이 쏟아지는 가운데 히샴이 뛰어오는 게 보였다. 그는 깜짝 놀라며 환한 웃음으로 감사인사를 보내고는 훌쩍 뛰어갔고, 나는 히샴이 지나간 뒤에도 한참 동안 비를 맞아가며 사람들을 응원했다.

집으로 돌아와서 TV로 보니 다양한 사연의 사람들 이야기가 펼쳐졌다. 이라크전에서 눈이 실명되고 온몸에 심각한 부상을 당한 전직 군인이 가이드의 손을 잡고 뛴 이야기, 암을 이겨내고 뛰는 사람, 백혈병으로 죽은 아이를 위해 백혈병 재단 기금 마련을 목적으로 뛰는 사람 등 저마다 가슴뭉클한 사연을 갖고 있었다. 마라톤이 단순한 스포츠가 아닌 수천 명의 마라토너와 응원자들이 만들어내는 감동의 휴먼 드라마라는 걸 알게 되면서 나도 모르게 전율이 느껴졌다.

수십 명의 기자들과 사진기자들은 선두에 뛰는 사람들에게 스포트라이트를 주지만, 이렇게 뒤에서 묵묵히 뛰는 수천 명의 사람들은 각자 나름의 사연을 가지고 목표를 이루기 위해 혼신의 힘을 다하는 것이다.

자신의 한계에 도전하기 위해, 현재의 위기를 이겨내기 위해, 남들을 돕기 위해...... 외롭고 지치고 힘들어 멈추고 싶은 유혹도 있겠지만, 저렇게 응원해주는 사람들이 있고 목표가 있기에 끝까지 뛸 수 있는 것이 아닐까. 저렇게 뛰고 나서 자신을 이겼다는 성취감은 말로 표현할 수 없을 것 같았다.

그걸 보면서 언젠가 마라톤을 하겠다는 나의 목표를 구체적으로 생각해보았다. 10킬로미터부터 시작해서 하프 마라톤 그리고 풀 마라톤까지 차근차근 도전해서 나 자신을 이기고, 이를 계기로 누군가에게 희망을 주겠다고 마음먹었다. 그러다 우연히 나이키에서 주최한 휴먼레이스 10K The Human Race 10K 행사에 대한 기사를 읽는 순간, '바로 이거야!' 하는 생각이 들었다. 22개 나라 25개 도시에서 전 세계인 100만 명과 함께 달린다니! 마라톤 도전 첫걸음으로는 너무나 완벽했다.

트레이닝을 시작했지만 1킬로미터도 뛰지 못해 헉헉대던 날, 살기 위해 뛰었다던 어느 탈북자가 문득 떠올랐다. 대학교 2학년 때 한 수업에서 발표를 맡은 어색한 양복을 입은 30대 후반의 아저씨. 자세한 내막은 모르지만 북한 출신인 그는 사형 직전에 사흘 밤낮으로 먹지도, 자지도 않고 뛰었다고 했다. 더 이상 뛸 힘이 없을 무렵 바다가 보였고, 바다에 뛰어들었다. 사흘간 바닷물에 떠내려온 그를 해경이 발견했고, 난민으로 받아들여져 새로운 삶을 시작했다.

내가 한국에서 왔다고 소개할 때마다 외국인들은 "남한? 북한?" 하며 물었다. "당연히 남한이죠. 북한 출신이면 외국에 못 나가요"라고 대답하면서도 늘 씁쓸했다. 같은 민족이지만 고통과 억압 속에서 살아가는 그들에 대한 미안한 마음에서, 특히 영양 부족으로 남한 아이들보다 훨씬 더 키가 작은 북한 아이들을 위해 전부터 무언가 하고 싶었다. 또한 남한과 북한을 구분하지 못하는 외국 친구들에게 이번 기회를 통해 북한의 실상을 조금이나마 알리겠다는 생각에서 북한 어린이들을 돕기 위한 기금 마련에 나섰다.

사람들에게 나의 의지와 북한의 현실 그리고 기금이 어떻게 사용될 것인가 하는 내용을 담은 이메일을 통해 기금 마련을 부탁했고, 본격적인 트레이닝에 돌입했다. 몸이 녹슬었는지 3킬로미터도 뛰기 힘들어 42.195킬로미터를 뛴 허샴이 존경스럽기까지 했다. 하지만 이미 북한 어린이들을 위한 내 자신과의 약속을 지키기 위해서라도 스스로를 채찍질했다.

조금만 뛰어도 헉헉거리는 내가 10킬로미터는 물론 20킬로미터도 가뿐히 뛰게 될 무렵, 이사를 가려다가 새로 이사가게 될 집주인과 오해가 생겨 갑자기 모든 일이 뒤죽박죽이 되었다. 당시 금융 위기로 일자리를 잃고 런던을 떠나는 사람이 많아 세입자를 대접하는 분위기임에도, 30대 중반의 로펌 파트너인 인도계 영국인 집주인은 세입자도 골라서 들이고 싶었는지 자기 사무실로 오라고 해서 거의 면접을 보다시피 했다.

'면접'은 잘했고 이사 날짜도 잡아 모든 준비가 끝난 상태, 필요한 서류를 준비하고 기다리는 그녀의 휴가 기간 동안 부동산 대리인과도 연락이 되지 않아 오해가 생겼다. 내가 상황을 설명하자 그녀는 내 말은 듣지도 않은 채 "이봐요, 난 변호사예요. 내가 하는 일이란 모든 시시비비를 깔끔하게 정리하는 거라구. 그런데 내가 바보같이 하지도 않은 말을 할 것 같아요? 당신 같은 사람이랑 상대하기 싫고 내 집에서 살게 할 수 없으니 당장 끊어요!" 하면서 내가 말하는 중에 전화를 끊어버렸다.

너무 황당하고 어이가 없었다. 그녀의 모욕적인 언사에 몸이 사시나무 떨리듯 떨렸다. 그리고 무엇보다도 이미 살던 집에서는 나가야 되는데 이사 갈 집은 없어 홈리스 신세가 되어버렸다. 일단 살던 집을 비워주고 친구 집에서 신세를 지면서 나는 집을 찾아야 한다는 압박감과 함께 이런 상황에까지 이르게 된 나 자신, 그리고 그 집주인에 대한 원망으로 하루에도 수십 번씩 우울해졌다.

집 없는 설움이란 이런 것일까. 하루 종일 일하고, 저녁에 많게는 10여 곳까지 집을 보러 다니면서도 맘에 드는 집을 찾기 힘들었다. 무거운 가방을 메고 하루 종일 런던 곳곳을 헤매다가 친구 집에 돌아오면 밤 11시. 그 밤중에 녹초가 된 몸을 이끌고 나는 무작정 템스강을 향해 달리고 또 달렸다.

템스강에 비친 런던의 야경은 내 서러운 마음이 무색하리만큼 아름다웠고, 저 멀리 반짝이는 수많은 건물 중에 설마 내 집 한 곳 없으랴 하면서 나는 스스로를 위로했다. 매일 밤 여기저기 새로운 곳을 달리며 길을 잃기도 했지만, 예전에 미처 몰랐던 런던의 곳곳을 새로이 알게 되는 기쁨도 맛보았다. 그러다가 강변에 있는 한 아파트 단지를 발견했다. 단지 내의 분수와 조형물, 활짝 피어난 꽃들과 잔디가 깔린 정원 그리고 고풍스러운 나무 전망대가 내 마음을 설레게 했다.

한눈에도 비싸 보여 설마 내 예산에 맞는 집이 있을까 반신반의하면서 그 동네의 부동산 사무소에 전화를 걸었다. 하나같이 "그 예산으로는 어림도 없죠" 하는 답변뿐이었지만 마지막으로 전화를 건 곳에서 "예산보다는 조금 높지만 세상 모든 일이 그렇듯이 협상을 해보면 되지 않겠느냐"며 집을 보러 오라고 했다. 깔끔한 집을 찾아 그 자리에서 협상을 했고, 결국 내 예산에 맞춰 그 집에 이사갈 수 있게 되었다. 무작정 달린 덕분에 몇 주간의 홈리스 생활을 청산할 수 있게 된 것이다.

어느덧 휴먼레이스 날짜가 다가왔고, 출발 테이프를 끊자마자 하늘이 어둑어둑해지더니 얼마 지나지 않아 폭우가 쏟아졌다. 게다가 생각지도 못했던 오르막길이 계속되어 당황스러웠다. 양말은 흠뻑 젖어서 발을 압박했고, 설상가상으로 발목까지 삐어버렸다. 런던 마라톤과는 달리 응원하는 사람도 별로 없는 그 곳에서 나는 몇 번이고 '포기'라는 단어를 떠올렸다.

그렇지만 200만원 가까이 기금을 마련해 준 친구와 동료들, 그 기금으로 조금이나마 도움을 받을 북한 어린이들을 생각하면 결코 포기할 수 없었다. 평소보다도 훨씬 오래 걸린 65분 만에 10킬로미터를 완주하고 나서 지난 몇 주간의 마음고생이 떠올라서였을까, 빗물인지 눈물인지 모를 것들이 내 얼굴에 흘러내렸다.

흔히 인생을 마라톤에 비유하곤 한다. 인생의 순간순간 장벽에 부딪혀 주저앉고 싶을 때 그것을 이겨내고 계속 달려야 하기 때문이 아닐까. 또한 아무 것도 아닌 일에 크게 소리내어 울고 싶을때 등을 두드려주고 다시 일어날 수 있도록 힘을 주는 '달려라 하니'의 홍두깨 선생님처럼 주변 사람들의 격려와 응원이 계속해서 달릴 수 있는 원동력이 되니까 말이다. 하니가 쓰러질 때마다 다시 일어나서 달렸던 것처럼, 내 마라톤 인생도 그렇게 시작되었다.

신체의 한계를 뛰어넘는 도전은 계속 이어졌다. 2010년 가을에는 하프 마라톤을 완주했고 겨울에는 킬리만자로 산의 정상(5,895미터)에 올랐다. 2011년에는 그리스에서 요트 항해술을 배우고 인도에 가서 한 달 동안 요가강사 자격증 과정을 수료했다. 다음 해에는 에베레스트 베이스캠프(5,364미터)와 칼라파타르(5,545미터)를 오르고 북경에서 쿵푸의 일종인 영춘권을 배웠다. 2014년 브라질에 가서는 카포에이라와 삼바를, 아르헨티나에서 두 달간 부에노스아이레스에서 머무르며 탱고를 배웠다. 2015년에는 라틴댄스 에어로빅인 줌바 강사자격증을 땄고 킥복싱을 시작했다.

쉽지만은 않은 도전들이었다. 특히 킬리만자로와 에베레스트에서는 고산병 때문에 무척이나 힘겨웠다. 토하고, 밥도 못 먹고, 속은 미식거리고, 머리는 깨질듯이 아팠다. 킬리만자로 정상에 오르던 밤, 영하 20도의 매서운 추위 속에서 나는 자꾸 돌바닥에 쓰러져 잠이 들었다. '여기서 잠들면 안 돼! 제발 한 걸음만 걸어봐'하고 소리 지르던 가이드 덕분에 나는 한 걸음 한 걸음 걸어 죽음을 면했다. 그리고 다시금 '포기'를 생각했을 무렵, 친구들과의 약속을 떠올리며 초인적인 힘을 발휘해 정상에 올랐다.

내가 오른 산이 초보가 오르기엔 얼마나 높은 산인지, 고산병이 얼마나 위험한지를 깨달은 것은 한참 후였다. 산을 꽤 타는 분들도 몇 년에 걸쳐서 준비를 하고, 정상을 목전에 두고도 고산병 때문에 포기하는 경우도 많은데 나는 무식해서 용감했던 것이다. 하지만 어차피 인생의 시련 또한 아무리 대비하고 걱정한다고 피할 수 있는 건 아니지 않은가. 차라리 아무것도 모를 때 빨리 겪어 내성을 키우는 것도 나쁘지 않다. 킬리만자로에 오르고 나니 에베레스트에도 겁 없이 오를 수 있었던 것처럼.

그렇다고 해서 내가 전문 산악인의 경지에 오른 것은 아니다. 나는 여전히 운동과 등산이 힘겹다. 정확히 말하면 신발 끈 묶는 게 너무 힘들다. 신발 끈 묶기 전 '운동하다 다치면 어떡하지?' '이따 운전해야 하는데, 피곤해서 졸음운전이라도 하면 어떡해?' '샤워해야 하는데 귀찮아.' 등등 참 쓸데없는 생각이 많이 든다. 하지만 그것을 이겨 내고 신발 끈을 묶고 나가면 동네 뒷산이든 근처 공원이든 가게 되어 있고, 그러다 보면 킬리만자로도 에베레스트도 가게 되는 것 아닌가. 어떠한 도전이든 좋다. 가장 중요한 것은 지금 이 순간 신발 끈을 묶는 것이다.

발리우드의 꿈을 향하여

대학교 때 우연히 〈춤추는 무뚜〉라는 타밀어로 된 인도 영화를 본 적이 있다. 충격적인 비주얼과 날것의 스토리, 너무 뻔한 해피엔딩이 강렬한 인상을 남기면서도 이국적이었다. 그리고 몇 년 후, 화려한 액션영화 〈둠〉에서 배에 왕王 자가 새겨진 몸짱스타 존 에이브러햄을 보고 한눈에 반했고, 흥겨운 리듬의 주제곡 '둠마짤레'는 며칠이나 머릿속에서 떠나질 않았다. 또한 인도 최고의 스타 샤룩 칸과 아이시와라 라이가 출연한 〈데브다스Devdas〉를 보면서 이루어질 수 없는 사랑에 눈물을 지었다. 그렇게 인도의 발리우드(뭄바이와 할리우드의 합성어) 영화에 입문하게 된 내게 우연찮은 사건이 생겼다. 미얀마 영화에 출연하게 된 것이다.

골드만삭스에서 일하고 있을 때였다. 옆 팀의 비서 언니가 다니는 교회 신도 중에 미얀마에서 온 노동자가 우연찮게 미얀마에서 온 영화 팀의 현지 코디 역할을 하게 되었는데 갑자기 여주인공이 사라져 대체할 사람을 찾고 있다는 것이다. 부랴부랴 명동의 한 카페에서 촬영 팀을 만났다. 나이가 지긋하신 감독님, 남자 주연배우 밍우, 아버지 역할로는 미얀마의 국민 배우로서 여러 번 아카데미상을 수상한 적 있는 원로 배우이자 감독 쩌두, 카메라 감독 그리고 현지 코디를 맡은 난다가 와 있었다.

상황을 들어보니 한국인 아내 역할을 위해 전문 여배우가 아닌 한국어를 전공하는 여대생을 뽑아 데려왔는데, 오자마자 그녀가 사라져버렸다고 했다. 특히 예산과 비자 발급의 어려움 때문에 30명이 넘는 현지 스태프를 다 못 데려오고 딱 5명만 왔는데, 한국 땅을 밟자마자 그녀가 사라져 망연자실했다고. 이후 촬영진은 사기가 확 떨어졌고 한국인 여배우를 섭외하려고 했지만 알아볼 길이 없어 헛되이 시간만 낭비하던 차에 내가 그들과 만나게 된 것이다.

영화 제목은 〈하늘을 만드는 사람들Creator of Sky〉. 알고 보니 감독님 아들의 실제 이야기를 바탕으로 쓴 시나리오였다. 오래전 한국에 와서 한국 여자와 결혼해 '하늘'이라는 아이를 키우며 사는 주인공과 아버지의 갈등과 화해에 관한 이야기였다.

다음 날 바로 촬영이 시작되었다. 미얀마 노동자 역할인 남자 주인공 밍우와 데이트를 하는 장면으로 한강 둔치에서 자전거도 타고 유람선을 타며 로맨틱한 분위기를 연출했는데, 별다른 대사 없이 자연스럽게 진행되었다. 한국 거주 미얀마인들의 신문 기자까지 취재를 하러 나왔다. "야, 혹시 그거 이상한 영화면 어떡해?" 하고 걱정돼 따라온 친구들은 "살다 보니 별일이 다 있네" 하며 사진을 찍으며 요란 법석을 피웠다.

촬영 환경은 열악하기 짝이 없었다. 회사에서 아예 며칠간 휴가를 받은 나는 그들이 묵는 영등포의 허름한 모텔 1층 감자탕집으로 매일 출근하다시피 했다. 로맨틱한 데이트 다음은 어느새 임신을 해서 병원에 가는 장면이었는데, 행인들은 카메라를 든 외국인들 사이에서 임산부 연기를 하고 있는 나를 신기한 듯 바라보았다. 임신 중에 몸의 이상이 발견되어 약을 먹어야 하지만 불법 체류자인 남편이 몇 달간 월급을 받지 못해 돈 한 푼 없는 상태라서 약을 살 수 없는 절박한 장면을 찍을 때는 스튜디오는커녕 적당한 장소가 없어 그들이 묵고 있는 모텔 방에서 찍어야 했다.

밍우와 쩌두는 이미 미얀마에 다음 영화 스케줄이 다 잡힌 상태였고 처음에 여배우가 사라지는 바람에 며칠을 낭비한 터라 아무래도 시간이 부족했다. 미얀마에서 한국으로 온 시아버지를 인천공항에서 맞이하는 장면, 그 아버지께 미얀마어로 인사를 하는 장면 등 자잘한 장면들을 찍기 위해 하루에 15시간도 넘게 촬영을 했다.

어느덧 밍우와 쩌두의 출국 전날이 되었다. 시간이 부족해 마지막 장면까지 모두 촬영할 수 있을까 걱정됐지만, 어느새 임신 중인 내가 아이를 낳다가 산통으로 죽는 마지막 장면만을 남겨놓고 있었다.

"감독님, 미얀마 사람들이 이 영화 보고 아직도 한국에서는 여자들이 애 낳다가 죽는 줄 알 거 아니에요. 요즘 그런 사람 거의 없는데......"

나는 그 장면이 내심 못마땅했지만 영화에서 가장 결정적인 장면이라니 감독님 말을 따를 수 밖에 없었다. 이 장면을 찍을 수 있는 병원을 섭외하기 위해 내가 아는 모든 의사, 그리고 의사를 아는 친구에게 전화를 걸었다. 그것도 모자라 종합병원 홍보실에 무작위로 전화를 걸어보기도 했지만 촬영을 협조해줄 병원을 찾을 수 없었다. 마침내 여러 사람의 도움으로 한 산부인과 개인 병원을 찾아가 겨우 촬영 허가를 받긴 했는데, 그 의사 선생님은 내내 못마땅한 표정이었다. 금방 끝내겠다며 겨우겨우 수술실 하나를 빌리긴 했지만, 너무나 싸늘한 분위기 때문에 출연 협조를 해 주실 수 있겠냐는 말이 입 밖으로 나오질 않았다.

아기 낳는 장면에 의사도, 간호사도 없이 그렇게 나 혼자 소리만 지르다가 끝났다. 그나마 사정사정한 끝에 우리를 이상하게 쳐다보던 간호사 중 한 명이 "축하합니다, 아들이에요." 하는 대사 한마디를 말아주었다. 약속했던 30분이 지났지만 아무래도 마음에 드는 연기가 나오지 않아서 촬영을 15분만 연장해주면 안 되겠냐고 물으려고 의사 선생님께 다가가자 그는 이미 오만상을 쓰고 있었다.

"카메라 든 사람들이 왔다 갔다 하니까 환자들이 왔다가도 가버리잖아요!"

우리는 그 자리에서 고맙다는 인사도 제대로 못한 채 미안하다고 연신 사과를 하며 서둘러 병원을 나왔다. 물론 많은 여성이 당당하게 산부인과를 찾지 못하는데 카메라, 그것도 외국인들이 비디오 카메라를 들고 왔다 갔다 하니 불편해할 것은 당연하고 우리가 병원 영업에 피해를 준 것이 참 미안했다. 나야 경험 삼아 촬영에 임한 거지만 미얀마에서 이미 스타 대접을 받고 있는 출연진은 외국에서 제대로 된 스튜디오도 못 구하고 이렇게 눈치 보고 욕먹으며 촬영한다는 사실이 얼마나 서러울까 싶었다.

결정적인 장면을 허무하게 끝내고 나자 감독님은 담배만 피웠다.

"아무리 그래도 그렇지. 아기를 낳는 장면인데 의사 한 명 없고. 이 정도 작품성으로는 극장에 내걸리기는 무리고 DVD 출시 정도만 가능하겠네. 미얀마에서 다시 찍든지 해야겠다."

병원을 섭외하려고 하루 종일 애쓴 나도 다리에 힘이 빠졌다. 다들 가라앉은 분위기를 띄우기 위해서였을까. 밍우가 "수영 씨, 첫 연기치고는 제법인데요? 특히나 고난이도의 출산 장면까지. 웬만한 전문 배우보다 훨씬 더 훌륭했어요"라며 칭찬을 건넸다.

그렇게 서로를 위로하며 화기애애한 분위기로 송별회를 마친 후 안타깝게도 나는 그 결과물을 보지 못했다. 감독님은 갑자기 몸이 심하게 안 좋아져서 수술을 받았고, 난다는 일하던 공장이 중국으로 이전하면서 자연스럽게 연락이 끊겼다. 미얀마로 여행을 가는 친구에게 알아봐달라고 부탁을 했는데 찾지 못했다고 했다.

이 책이 출간된 후 나는 이들을 만나러 미얀마에 찾아가 밍우와 쩌두를 만났고 놀라운 사실을 알게 되었다. 알고 보니 이 영화는 스태프로 가장한 30명을 한국에 불법 입국시키려 했던 프로젝트였다. 하지만 진짜 톱스타인 밍우와 쩌두를 위해, 또 조악하지만 DVD판이라도 만들기 위해 촬영은 진행되었으나 감독님이 귀국하자마자 구속되어 완성하지 못했다고 한다. 나는 적지 않게 충격을 받았지만 한편으로 가난한 이들을 위해 공짜 장례식을 치러주는 쩌두의 이야기에 감동을 받았다.

이런 웃지 못할 일도 있었지만 발리우드의 꿈을 포기할 수는 없었다. 화려한 의상과 출중한 미모의 배우들, 그리고 한 편당 평균 7곡 정도의 노래와 춤이 나오는 발리우드 영화 속 내 모습을 종종 상상해 보았다. 내 이름의 '영'자가 '비칠 영映'인데, 인도의 10억 인구가 1초 만이라도 봐준다면 내 평생 이름값은 충분히 하는 것 아닐까?

2011년, 나는 마침내 진짜 발리우드의 꿈에 도전하기 위해 인도 뭄바이에 갔다. 무작정 100여 명의 영화 관계자들을 찾아가 나를 어필했지만 뭄바이와 발리우드의 사람들로부터 숱한 좌절과 분노를 겪고 마음 고생이 너무 심해 2주간 밥을 제대로 먹지 못해 5킬로그램이 빠지기도 했다.

하지만 부족할 것 없는 주인공이 잘 먹고 잘 살다 죽었다는 내용의 영화는 세계 어디에도 없지 않은가. 감당하기 힘든 시련이 닥쳐왔을 때 주인공이 이를 이겨내는 것이 상당수 영화들의 기승전결인 것처럼 나 역시 더 이상 견딜 수 없다고 느껴졌을 때, 주변 사람들의 응원과 위로 덕분에 마음을 가다듬을 수 있었다. 그렇게 다시 도전한 끝에 수디르 미슈라 감독의 영화 〈잉카Inkaar〉에 댄서로 출연했다. 그리고 마침내 인도 영화의 전설이자 지금은 고인이 된 야시 초프라Yash Chopra 감독의 유작 〈애즈 롱 애즈 아이 리브 Jab Taak Hai Jaan〉에서 여주인공 카트리나 카이프Katrina Kaif의 리셉셔니스트 역할로 출연하며 샤룩 칸을 만나게 되었다.

발리우드는 성인이 된 이후 정신적으로 가장 힘들었던 도전이었지만 중요한 사실을 깨우쳐주었다. 인생이 한 편의 영화라면 내가 그 영화의 감독이자 주인공이라는 것을, 시련이 왔을 때 포기해버리는 줄거리의 인생은 졸작이 되겠지만 '그럼에도 불구하고' 반전을 만들어내는 인생은 명작이 된다는 사실을 말이다.

이후 나는 부족함을 채우기 위해 뉴욕 브로드웨이에서 뮤지컬을, LA 할리우드에서 영화 제작을 공부했다. 비록 예체능을 제대로 배워본 적 없고, 특출난 재능 또한 없지만 이러한 활동들이 내 삶을 더욱 풍요롭게 한다. 또 전 세계를 누비며 다양한 경험을 했던 행운을 예술을 통해 더 많은 이들과 나누고 싶은 마음 때문이기도 하다.

내가 가진 꿈들을 이루며 충만하게 살아가는 것만큼 중요한 것이 또 있을까? 우리가 죽기 전에 돈을 많이 벌지 못했다고, 더 높은 직급에 오르지 못했다고 후회하지는 않을 것이다. 대신 즐겁게 살지 못했다고, 더 사랑하지 못했다고 후회하며 죽어가지 않겠는가?

CEO도
영어가 콤플렉스?

"우아, 샴페인이 이렇게 많이 있네. 역시 CEO 퇴임 행사라 후하군. 리처드, 너도 한잔 마실래?"

"수영, 그...... 그보다는...... 네 옆에......."

평소 당찬 리처드가 갑자기 말을 머뭇거렸다. 흘깃 보니 행사장 입구에는 낯익은 남자 세 명이 나를 바라보고 있었다. 샴페인에 정신이 팔려 있던 내가 "리처드, 마실 거야, 안 마실 거야?" 하고 되묻는데, 그중 한 명이 다가와서 "안녕하세요" 하며 악수를 건넸다. 분명 어디서 본 것 같은데 순간적으로 누군지 기억이 안 났던 나는 1초 동안 기억을 헤집었다.

"아, 인사부 폴 상무님? 오랜만이네요!"

"아니요, 제 이름은 요르마입니다. 셸의 회장이지요."

아니, 세상에 다른 사람도 아니고 회장님을 몰라보다니! 그동안 사진으로 수차례 뵈었던 셸 그룹의 요르마 올릴라Jorma Ollila 회장. 노키아의 전 회장이자 CEO 출신으로 2006년에 셸 그룹의 회장에 취임했다.

"앗, 죄송해요. 회장님 사진은 많이 봤는데 실제로 본 건 처음이라......"

홍당무가 되어 정신을 차려보니 회장님 바로 옆에 서 있는 사람은 오늘 퇴임하는 셸의 CEO 예룬 반더 비어Jeroen van der Veer와 새로 부임하는 CEO 피터 보저Peter Voser였다.

CEO 퇴임식이라고 해서 전 직원이 경직된 분위기 속에서 회장님과 CEO의 말씀을 경청하는 건 줄 알았는데, 이렇게 업무를 끝낸 뒤 따로 장소를 정해 샴페인 리셉션을 마련하여 원하는 사람만 참가하는 자유로운 분위기에서 행사가 진행되었다. 그래도 설마 이렇게 최고위 삼총사가 입구에서 한 명 한 명 반기며 악수를 할 거라곤 생각도 못했다. 피터는 최근 한국에 다녀왔는데 깊은 인상을 받았다며 나를 반겼고 우리는 활짝 웃으며 즐거운 표정으로 함께 사진을 찍었다.

리셉션 분위기가 무르익을 무렵, 핀란드 출신의 회장님이 단상에 올라가 이제 퇴임하는 예룬의 약력과 성취에 대해서 소개를 했다. 한때 정유공장장이 되는 게 최고의 목표였던 한 엔지니어가 세계에서 가장 큰 기업(2008년 〈포춘〉지 선정 매출액 기준)의 CEO가 되었다는 점이 인상적이었다. 그다음으로 예룬이 소감을 말하러 단상에 올랐다. 그간 회사를 이끌어오면서 자신이 이룬 성취를 열거할 거라는 내 생각과는 달리 그는 30대 후반까지 네덜란드에서만 살았던 자신이 뒤늦게 글로벌 기업을 이끌면서 영어 때문에 얼마나 고생을 많이 했는지를 털어놓았다. 강한 네덜란드식 악센트의 영어를 구사하는 예룬은 회사를 3인칭으로 불러야 할 때 영어의 'it'이 아닌 네덜란드어식으로 'she'라고 부르는 등 실수를 종종 했다며 영어에 관련된 에피소드를 풀어냈다. 그의 간단한 소감을 끝으로 공식적인 행사가 마무리되고 자유로운 시간이 주어졌을 때, 나는 예룬에게 다가갔다. "안녕하세요! 아까 같이 사진 찍었던 김수영이에요. 한 가지 질문 해도 될까요? 미래의 CEO가 될 저 같은 젊은이를 위해서 딱 세 가지 팁만 주세요."

그는 '집중하라' '나보다는 기업 전체를 생각하라' '사람을 중시하라'는 소중한 조언을 해주었다. 더불어 "당신은 나보다 영어를 잘하니까 나보다 빨리 CEO가 되겠네요"라고 말하며 미소를 지었다. 농담이라고 하기에는 영어 얘기를 계속 꺼내는 걸 보니 세계 최대 기업의 CEO조차도 영어 콤플렉스를 안고 있었구나 하는 생각에 동병상련의 감정을 느꼈다. 새로운 CEO는 스위스 출신으로 예룬보다 더 심한 억양을 구사했다.

외국에서 직장을 다녔다는 이유로 사람들에게 가장 많이 받는 질문이 바로 '영어'다. 토종 한국인인 것이 죄인 양 영어만 생각하면 기죽는 사람이 많다. 나 역시 한국에서 25년간 살았던 토종이자 어학연수 한번 해본 적 없기에 외국인의 말을 잘 알아듣지 못해서 엉뚱한 대답을 하거나 어리바리한 모습을 보일 때면 나 자신이 한심하게 느껴지기도 했다. 그러나 나보다 훨씬 더 영어를 못하고 더 심한 악센트를 구사하면서도 당당하게 자기 할 말 다 하는 다른 나라 출신의 동료들을 보면 영어는 별것 아니구나 싶다.

나는 영어를 제대로 배워본 적이 없다. 남들처럼 학교에서 교과서 영어를 배웠고, 수능시험을 위해 듣기 평가 테이프를 수십 번 들었지만 그마저도 제대로 알아듣지 못하는 경우가 허다했다. 교환학생 준비를 하면서 토플 점수가 필요해 학원에 가보기도 했지만 본문 읽고 해석해주는 수업이 지겨워 졸기 일쑤인지라 곧 그만두었다. 반대로 수십 번 문제를 풀고 틀려봐야 정신이 확 들면서 뇌리에 남겨졌다.

어디선가 접한 '읽으면 잊어버리고, 말로 하면 기억하며, 직접 해보면 깨닫는다'는 배움의 법칙처럼, 오히려 나는 영어 과외를 가르치면서 문법을 깨우쳤다.

단어를 익히는 데는 영어 신문과 책이 큰 도움이 되었다. 몇 년간 영어 신문을 구독해 아침을 먹으며, 또는 지하철에서 한두 시간 정도 읽었는데 기사를 다 읽자면 하루 종일 걸리니 제목만 대충 훑어보면서 흥미 있는 기사 위주로 읽었다. 또한 영어영문학과 경영학을 복수 전공하면서 원하든 원치 않든 영어 원서로 된 교재들을 읽을 수밖에 없었으므로 신문 읽듯 열심히 읽어 내려갔고, 모르는 단어가 있어도 문맥의 흐름상 대충 이해하고 넘어가곤 했다.

유명한 단어장을 들고 달달 외워봤자 그 단어들은 1분간 외워졌다가도 아무런 생명력 없이 다 까맣게 잊히고 만다. 반면에 완성된 글을 읽다가 모르는 단어를 사전에서 찾아보면 '아, 이게 이런 뜻이었구나'하고 기억에 오래 남았다. 그렇지만 뭐니 뭐니 해도 영어에서 가장 중요한 것은 말을 많이 해보는 것이다. 발음이 어눌하고 문법이 틀려도 자신감을 잃지 말고 자꾸 말을 해봐야 한다.

호주에 교환학생으로 갔을 때, 오리엔테이션 첫날 약간의 돈을 내면 멜버른 시내 투어를 할 수 있었다. 오리엔테이션 행사장만 해도 동양인이 많이 있었는데, 버스에 타보니 나처럼 한국에서 교환학생으로 온 친구를 제외하고는 백인들뿐이었다. 다른 아이들은 유창한 인사로 서로 자기소개를 하는데, 우리는 순간적으로 얼어버려 한구석에 숨어서는 '한국에서 영어회화 공부 좀 하고 올 걸 그랬나 봐……' 하며 내내 한숨을 내쉬었다.

저녁식사를 하러 레스토랑에 들어간 우리는 더 이상 숨어 있을 곳이 없어 할 수 없이 자기소개를 시작했다. 그런데 우리의 어눌한 영어를 듣고 비웃는 사람이 아무도 없었다. 조금 마음의 여유를 찾고 보니 다른 아이들의 영어에도 각각 모국어 특유의 억양이 스며들어 있음을 알 수 있었다. '외국어니까 실수할 수도 있고 억양이 완벽하지 않을 수도 있는 거지, 내가 멍청해서 그런 건 아니잖아?'라는 생각이 들면서 자신감이 생겨났고, 실수에 연연할 필요 없다는 생각이 들었다.

모르는 표현이 있어도 그냥 한 귀로 듣고 한 귀로 흘리며 내가 하고 싶은 말을 하면서, 대화에 맞추다 보니 즐겁게 대화할 수 있었다. 반면 자꾸 의식적으로 '앗, 현재형이 아니라 과거형으로 말했어야 하는데……' 하는 식으로 생각하다 보면 오히려 대화를 놓쳐 할 말도 못하게 되어버린다. 모임에 가서 딱히 할 말이 없다고, 남들 얘기하는 데 끼지 못한다고 나와버릴 게 아니라 공통의 관심사를 소재삼아 화제를 돌리거나 분위기가 되면 아예 춤을 추는 것도 하나의 방법이다. 그날 그렇게 만난 친구들은 지금도 연락하며 지내는 절친한 사이가 되었는데, 그때 용기를 내지 못하고 계속 숨었더라면 어떻게 되었을까.

영국에서 생활하며 영어가 편해질 무렵, 입사를 앞두고 3개월 정도의 여유가 생겨 중남미 여행을 계획했다. 원래는 페루 마추픽추와 볼리비아 우유니 호수를 가고 싶었지만 우기였던 탓에 다른 곳을 알아 보다가 문득 '스페인어를 배워보자!' 하는 생각이 들었다. 검색해보니 과테말라가 스페인어 배우기 제일 싸다고 해서 무작정 그다음 주에 과테말라로 가는 비행기 표를 예약했다.

수십 개의 스페인어 학교가 있다는 안티구아 과테말라에 도착해서 발품을 팔아 학교를 선택한 뒤 바로 수업을 시작했다. 일대일 수업과 현지인 집에서의 홈스테이 비용을 포함해도 당시 기준으로 한 달에 60만 원이 채 되지 않을 정도의 저렴한 가격이었다. 그렇게 4주간 매일 하루 4시간씩 강사와 일대일로 수업을 하면서 집중적으로 스페인어를 배웠다. 마치 중학교 시절로 돌아간 것처럼 알파벳부터 시작해 기본 문법 그리고 단어를 배우고 계속 회화 연습을 했다. 매일 단어 암기 숙제와 문법을 응용한 문장 만들기 등의 숙제를 했다.

새로운 문법과 단어를 배울 때마다 영문법의 이해가 큰 도움이 되었다. '아, 이건 영어 현재진행형이랑 똑같네. 단지 ing가 아니라 ando를 쉼표 붙이는 것만 다를 뿐' '앗, 영어랑 비슷한 단어가 많네. absolutely 를 absolutamente, really를 realmente라고 하네' 하고 말이다. 그래서인지 영어를 모국어로 하지만 문법에 대해 전혀 모르는 영어권 친구들보다 스페인어를 훨씬 더 빨리 배울 수 있었다. 또 한국어가 다른 언어보다 소화할 수 있는 음성이 월등하게 많아서인지 좀 더 현지인에 가깝게 발음할 수 있었다.

한국어는 중국어와 전혀 다른 언어임에도 오랜 기간 한자를 차용해 쓰다 보니 한자에 기반을 둔 단어가 많다. 마찬가지로 스페인어도 영어와 다른 어족의 언어지만 라틴어에서 유래한 비슷한 단어가 꽤 많아 영어를 알면 훨씬 더 빨리 익힐 수 있었다. 반면 스페인어와 이탈리아어, 포르투갈어, 프랑스어 모두 라틴어에 기반을 둔 언어라서 그런지 프랑스나 이탈리아에서 온 사람들은 굳이 스페인어를 배우지 않아도 눈치껏 알아듣는 듯했다.

그리고 무엇보다 말이 되건 안 되건 무조건 말을 많이 했고, 사람들이 하는 말이 이해되지 않으면 그게 무슨 뜻인지 그 자리에서 물었다. 강사 뿐 아니라 홈스테이 가족들 그리고 상점 점원 등 내가 엉터리 문법과 단어로 말을 해도 이상하게 생각하는 사람이 없었는데, 이는 사실 당연한 것이다. 우리도 외국인이 한국어로 말하면 신통해서 도와주고 싶어하지 문법이 틀리다며 "너 바보 아니야?" 라고 놀리지 않는다. 그런데 이상하게 많은 사람이 영어를 원어민처럼 완벽하게 하지 않으면 부족하다고 느끼는 것 같다.

영어와 한국어는 머릿속에서 쏙 빼놓고 스페인어 버튼만 누르고 지낸 지 한 달, 스페인어 수업을 마치고 멕시코와 온두라스를 2개월 더 여행했다. 어눌하긴 하지만 계속 스페인어만 하다 보니 어느덧 정치에 관한 토론까지 할 수 있는 수준이 되었다. 다른 여행객들을 위해 영어—스페인어 통역을 하는 경우도 생겼고, 영어권보다는 스페인어권 친구들과 어울리는 일이 늘었다. 머리로 생각해서 배우고 구사하는 영어와 다르게 스페인어는 이상하게도 혀에서 자연스럽게 튀어나왔다.

하지만 다시 영국으로 돌아와 1년여 동안 스페인어를 잊고 지내다가 아르헨티나를 갔을 때 잠시 충격에 빠졌다. 우선 스페인어 자체를 많이 까먹은 데다 아르헨티나에서 쓰는 스페인어는 내가 배운 과테말라식 스페인어와는 발음이나 표현이 많이 달랐다. 말을 못 알아들으니 아르헨티나 친구들 사이에서 바보가 된 듯했다. 내가 엉뚱한 소리를 할 때마다 친구들이 깔깔대며 웃어서 더욱 위축되었다.

모르면 모르는 대로 말이 나오는 대로 쏟아내던 예전과는 달리 이제는 현지인만큼 스페인어를 잘해야 된다는 강박관념 때문에 조급증이 생긴 것이다. 하지만 그들이 평생 해온 언어를 하루아침에 잘할 수는 없는 법. 나는 마음을 가라앉히고 차분히 사람들 말을 경청하면서 모르는 단어가 있으면 창피함을 감수하고 묻기 시작했다. 내가 외국인이며 스페인어가 모국어가 아님을 잠시 잊었던 친구들은 많은 것을 가르쳐주었고, 나는 3주 뒤 아르헨티나식 억양까지 구사하며 다시 스페인어 실력을 발휘하게 되었다.

영국에서 회사를 다니며 모르는 영어 단어를 접하지 않은 날이 단 하루도 없기에, 늘 그 자리에서 영어사전을 찾아보는 습관이 생겼다. 모를 때의 답답함이 풀리는 순간의 카타르시스 때문일까, 그렇게 배운 단어들은 쉽게 잊히지 않는다. 그래도 정말 중요한 문서는 꼭 영어가 모국어인 사람에게 검토를 받았다. 사소한 문법 실수가 열심히 노력한 결과물의 옥에 티가 되는 일이 생기는 것은 원치 않기 때문이다.

영국 생활 3년 차부터 영국식 영어를 구사한다는 기분 좋은 말을 듣기도 했지만, 흥분하면 미국식 악센트로 바뀌고 일본어를 하려면 스페인어가 튀어나왔던 걸 보면 내 머릿속의 언어 회로가 점점 복잡해진 것 같다. 언어란 하루아침에 느는 것도 아니고 모국어가 아닌 이상 100퍼센트 완벽해질 수 없다. 중요한 것은 자신감을 잃지 않고 끊임없이 배우는 것뿐.

해보지 않으면
모르는 건데

그리운 수영아. 잘 지내니? 너의 런던 뮤지컬 공연에 가고 싶었지만 콘서트 일정과 겹쳐 가지 못해서 미안해. 나는 그간 쿠바에 다녀왔고 스위스와 독일에서 여러 번 콘서트를 가졌어. 작년처럼 이번 크리스마스에도 아일랜드에서 콘서트 투어를 하려고 해. 네 얼굴도 볼 겸 런던을 거쳐서 가려고 하는데 볼 수 있을까? 참, 혹시 런던에서도 공연할 수 있는 기회가 있는지 알아봐주면 정말 고맙겠다.

스위스에 사는 니콜라스에게서 온 편지였다. '쿠바'라는 단어를 읽는 순간 그를 과테말라에서 처음 만났던 2007년의 새해가 떠올랐다.

여행 중이었던 나는 과테말라 중앙은행의 지급 정지 사태로 인해 현금지급기에서 돈을 일주일째 인출하지 못해 속이 타고 있었다. 다행히 온두라스에서부터 함께 여행 중인 벨기에인 게이 친구 스티브에게 돈을 빌려서 쓰고 있었지만, 다음날이면 그도 다른 곳으로 떠나니 그날 중으로 돈을 다 갚아야 했다.

리오둘세에서 하루 종일 덜컹거리는 버스를 타고 플로레스에 도착하자마자 스티브와 함께 모든 은행을 찾아다녔지만 허사였고, 마지막 은행만을 남겨두고 있었다. 은행 입구 앞 현금지급기에는 사람들이 길게 줄지어 서 있었고, 한 남자가 나를 보고 씩 웃으면서 "그쪽도 많이 헤맸나요? 여기선 돈 찾을 수 있을 거예요"하고 미소를 지었다. 하지만 은행 영업 마감 10분 전이라 마음이 다급했던 나는 대답도 않고 그를 힐끔 쳐다본 뒤 은행 안으로 들어갔다. 겨우 돈을 찾고 나오니 스티브와 그 남자는 계속 대화 중이었고, 그날 저녁 스티브는 "완벽한 내 이상형인데, 왜 연락처를 안 물었을까" 하며 계속 후회를 했다.

다음날 새벽 3시에 출발하는 마야 유적지 티칼의 일출투어를 위해 그간 함께 여행했던 스티브와 작별 인사를 하고 일찍 잠자리에 들었다. 새벽 2시 반, 알람 소리에 피곤한 눈을 비비며 투어에 참가해 티칼에 도착했는데 아직도 날은 캄캄하고 비까지 오고 있었다. 이 칠흑 같은 어둠 속에서 산길을 혼자 걸으면 너무 위험하고 암울하겠다 싶어 아무나 혼자 온 사람을 붙잡고 말을 걸어야지 하고 마음먹었다. 너무 깜깜해 얼굴조차 보이지 않았지만 어렴풋한 형태만으로 혼자 있는 사람을 알아보고 "비가 이렇게 많이 오는데 일출을 볼 수 있을까요?" 라고 말을 걸었는데 "그러게요"하는 답변이 돌아왔다. 우리는 한두 마디를 주고받으며 함께 걷기 시작했다. 캐나다 몬트리올대학에서 연구원으로 일한다는 이 사람은 몇 주간 멕시코에서 스페인어를 배운 뒤 잠깐 과테말라로 여행을 왔고, 벨리즈로 스쿠버다이빙을 하러 가는 길이라고 했다.

어둠과 비 속에서 우리는 서로의 목소리 하나에 의존하며 산행을 계속했다. 그는 내가 빗길에 미끄러질 때마다 부축해주었다. 진흙탕이 되어버린 산길을 걸어 정상에 올라 모두가 숨을 죽이며 일출을 기다렸지만 계속되는 비로 일출은 볼 수 없었다. 동이 트며 그의 얼굴이 서서히 보이기 시작했는데, 그는 놀랍게도 어제 은행 앞에서 본 남자, 바로 니콜라스였다.

우리는 하루 종일 티칼의 피라미드를 수없이 오르내리며 한때 찬란한 문명을 꽃피웠던 수천 년 전 마야인들의 삶에 대하여, 또 현재를 살아가는 우리의 인생과 꿈에 대해서 이야기를 나눴다. 과학자의 커리어를 가지고 있지만 자신의 삶은 가족과 음악, 여행이라는 세 바퀴로 돌아가는 전차와 같다는 니콜라스. 자신이 속한 아이리시 밴드와 록밴드에서 연주할 때와 사람 한 명 없는 무인도나 산속에서 며칠이고 혼자 캠핑할 때 가장 행복하다는 그는 진정한 자유영혼이었다.

점점 그와 눈빛이 마주칠 때마다 가슴이 두근거렸다. 하지만 그가 몬트리올에 살고 있다는 점, 스티브 생각대로 그가 게이일지도 모른다는 생각에 나는 새벽녘부터 함께한 티칼에서의 하루를 마치며 기나긴 포옹으로 그와 작별 인사를 했다.

옛 기억을 추스르고 있을 즈음, 니콜라스가 친구 브렌든과 함께 기타 하나씩을 덜렁 메고 도착했다. 그들은 런던에서 꼭 공연을 하고 싶어했다. 엉뚱한 브렌든은 무작위로 여기저기 펍에 전화를 걸어 "여보세요? 저희는 아이리시 밴드인데 거기서 공연을 할 수 있을까요?" 하고 물었다. 하지만 그런 거 필요 없다는 싸늘한 반응만 계속되자, 나는 그들의 로드매니저가 되기로 작정하고 인디밴드들의 콘서트로 유명한 곳에 전화를 걸기 시작했다.

"안녕하세요, 저는 스위스의 유명 아이리시 밴드의 영국 현지 로드 매니저입니다. 그들이 지금 유럽 콘서트 투어 중인데, 오늘 마침 공연이 취소되었네요. 혹시 오늘 거기서 공연할 수 있을까요?"

브렌든이 마구잡이로 들이대는 것보다는 반응이 좋았으나, 웹사이트를 보여달라, CD를 보내달라는 말에 막막했다. 웹사이트가 있긴 하지만 달랑 사진 한 장, 그것도 아무렇게나 찍은 사진 한 장 뿐이어서 보여주기도 민망해 밴드 소개도 제대로 못하고 결국 공연 장소를 찾지 못했다. 그들에게 당장 필요한 것은 제대로 된 사진과 웹사이트였다. 런던을 그냥 떠나기는 아쉽지 않겠느냐며 사진도 찍을 겸 거리 공연이라도 해보자고 그들을 설득해 밖으로 나왔다.

템스강 다리 위에서 공연을 시작했지만 갈 길 바쁜 행인들은 우리를 주목하지 않았다. 게다가 영하의 기온 때문에 기타를 치는 그들의 손가락은 무뎌갔고 사람들의 냉대에 목소리는 기어들어갔다. 내가 괜한 요구를 한 걸까. 그들은 기가 완전히 꺾여버렸고, 니콜라스는 감기까지 걸려 다음 날 하루 종일 고생했다. 내가 찍은 사진에서도 그들의 좌절감이 느껴졌다.

우리 집 근처에 라이브 음악 공연으로 유명한 펍이 있는데 화요일마다 아이리시 밴드가 공연을 하니 그거나 보러 가자며 피곤한 그들을 끌고 갔다. 그런데 밴드가 보이질 않아 바텐더에게 물어보니 크리스마스라 아일랜드에 가 버려서 공연이 없다고 했다.

"아니, 세상에 이런 기회가! 이건 하늘이 주신 기회야. 당장 매니저를 찾아서 공연을 제안해보자."

하지만 이미 좌절 모드에 들어간 니콜라스와 브렌든은 됐다고, 포기하자고 했다. 나는 그들의 말을 무시하고는 매니저를 찾아서 "오늘 공연 없나요? 공연 때문에 멀리서 왔는데"하고 말했고, 매니저 역시 바텐더와 같은 말을 하며 멋쩍어 했다.

"어머! 마침 지금 여기 있는 두 분이 스위스에서 유명한 아이리시 밴드인데 이분들이 공연을 하는 건 어떨까요?"

긴 금발머리에 도도해 보이는 매니저가 의외로 흔쾌히 "내일 점심때쯤 와서 한번 직접 연주해본 뒤 결정하죠"라고 답하며 바로 오디션이 잡혔다. 다음 날, 내가 회사에 간 사이 그들은 오디션에 합격했고 니콜라스와 브렌든은 흥분을 감추지 못했다. 그들은 런던 관광은 생략하고 하루 종일 공연을 준비했다. 몸이 아픈 니콜라스도 노래할 때만큼은 멀쩡해졌다. 나 역시 페이스북과 문자메시지를 통해 친구들을 초대했고, 심지어 아파트 단지에 사는 주민들에게까지 이메일을 보냈다.

주룩주룩 내리는 비를 맞아가며 펍에 도착했는데 공연 준비가 되어 있지 않았다. 썰렁한 분위기에 심란해진 니콜라스는 "나 아무래도 오늘 공연 실패할 것 같은 예감이 들어"라며 불안해했고, 브렌든은 "아니, 공연 장소를 준비해주기로 했는데 왜 아직도 여기에 테이블이 있지? 우리는 스위스 사람이야. 약속을 했으면 지켜야지!" 하며 사소한 것에 분개했다. 나는 "무슨 소리야. 오늘 공연 진짜 환상적일 거야. 빨리 테이블 치우고 마이크 설치하자"하면서 그들을 달랬다.

니콜라스의 피리 연주로 공연이 시작되었다. 하지만 펍은 여전히 시끌시끌했고 아무도 그들에게 관심을 보이지 않았다. 박수치는 사람은 나밖에 없었다. 한 취객이 넥타이를 머리에 두르고 말도 안 되는 춤을 추며 그들을 조롱했다.

그들이 더블리너즈의 'The town that I loved so well'을 부르자 내 머릿속은 과거의 여러 장면들로 복잡하게 뒤얽히기 시작했다. 그리고 내 기억은 1년 전 스위스로 거슬러 올라갔다. 나는 기타를 치며 이 노래를 부르던 니콜라스에게 한없이 취해버렸다. "나,

사랑에 빠질 것 같아……" 하는 나의 말에 그는 순간 기타를 멈추더니, "미안해. 난 여자한테 관심이 없어"라며 길게 한숨을 내쉬었다. 순간적으로 스티브의 얼굴이 스쳐 지나갔고, "그렇다면 게이란 말이야?"라고 묻자 그는 음악을 너무 사랑해서 여자를 사랑할 겨를이 없단다.

"말도 안 돼. 그럼 왜 내 생일파티 때 비행기를 타고 런던까지 왔지? 왜 휴가까지 내면서 스노보드 여행을 준비했지? 왜 오지 말라고 했는데 취리히공항까지 데리러 왔지? 왜 몇 시간째 나를 위해서 노래를 부르는 건데? 원래 모든 여자한테 그렇게 친절하니?"

그는 길게 한숨을 쉬었다.

"너는 런던에서의 삶이 있고, 나는 취리히에서의 삶이 있잖아. 괜히 서로 상처 받을 일은 시작하지 말자……"

그렇게 상처만 받고 런던으로 돌아왔고, 시간이 약이겠거니 하고 이젠 쿨하게 친구로 지낼 수 있다고 생각했다. 그런데 다시 그 노래를 듣고 있으려니 마음 한쪽이 허전해지는 느낌은 어쩔 수 없었다. 정신을 차리고 보니 여전히 그들만이 쓸쓸히 노래를 부르고 있었고, 펍에 있는 사람들은 다들 맥주를 마시고 이야기하느라 바쁘기만 했다. 그렇게 사랑하는 음악을 위해 그는 저기 서 있는데, 아무도 그의 노래에 귀기울이지 않았다.

호응이 없자 절박해진 나는 혼자 펍을 돌아다니며 사람들에게 "이 밴드 노래 정말 잘하지 않아요?"라며 말을 걸었고, 마침 내가 다니는 헬스클럽에서 일하는 분이 보이자 그 일행에게 가서 "이 친구들 스위스에서 왔는데 런던에서 하는 유일한 공연이에요. 제발 호응 좀 해주세요"라고 부탁까지 했다.

노래를 마친 니콜라스의 표정은 한없이 일그러져 있었고, 그들의 목소리는 점점 기어들어갔다. 힘겹게 40분간의 1부 공연을 마친 뒤 니콜라스는 "거봐, 내가 예감이 안 좋다고 했잖아"라며 풀이 죽어 있었다. 브렌든은 "최악의 공연이었어. 아일랜드에서는 다 같이 노래 부르고 난리가 날 텐데"라며 고개를 숙였다. 그들을 격려할 사람은 나밖에 없었다.

"여기 손님들은 술 마시러 왔지 너희 보러 온 건 아니잖아. 그러니까 계속 술 마시고 사람들과 할 얘기를 하면서도 한편으론 너희 노래를 듣고 있는 거야. 사람들의 호응을 이끌려면 구슬픈 아일랜드 노래만 부르는 게 아니라 좀 더 대중적이고 신나는 노래도 몇 곡 해보는 게 좋겠다."

그들은 알았다며 무너진 자신감을 추슬렀다. 2부가 시작되었고 여전히 반응은 싸늘했다. 그런데 한 곡을 마쳤을 때 한 여자 손님이 그들에게 다가왔다.

"이봐요, 난 당신들이 정말 실력이 있다고 생각하는데, 지금은 마치 누가 시켜서 억지로 노래하는 것 같아요. 마음으로 노래를 불러봐요. 그러면 우리도 정말 흥이 날 거예요."

그 말에 자극을 받았는지 그때부터 그들은 열정적으로 노래를 불렀고 사람들은 서서히 그들을 주목하기 시작했다. 특히 Take That이나 Green Day처럼 대중적인 밴드의 노래를 부르면서부터 무대가 뜨거워졌다. 여기저기서 사람들이 환호하며 춤을 추거나 한쪽에서 초를 들고 흔들었고 한두 명씩 다가와 생일 축하곡, 크리스마스 노래를 신청했다. 그들은 준비를 못했다고 마다했지만, 결국 요청에 못 이겨 'Fairy Tale of New York'을 부르자 사람들 모두 노래를 따라 부르며 감동의 공연이 끝났다.

그 잘생긴 매니저가 다가와서는 "잘했어요, 사실 처음에는 회의적이었는데 후반부에는 반응이 정말 좋았네요."하며 감사의 뜻으로 사례비를 건넸다. 아까 말을 건넨 여자분한테 가서 감사인사를 하자 그녀는 "뭘요. 내가 좋아서 그런 건데. 처음엔 마음으로 노래를 부르지 않기에 충고해줬는데 갑자기 열정이 폭발하더군요. 우리도 정말 즐거웠어요."하며 내 손을 꼭 잡아주었다.

우리 셋은 축하의 건배를 들었다. 니콜라스가 허심탄회하게 한마디를 했다.

"아일랜드에서야 사람들이 노래를 다 알고 스위스에서는 지인들이 공연에 와주니까 늘 편하게 공연을 했어. 그런데 우리를 몰라주는 낯선 곳에서 공연을 하게 되니 너무 불안하고 초조해서 온갖 부정적인 생각을 했어. 그러다 보니 더 주눅이 들고 목소리가 기어들어가고 실패자 같은 느낌이 들었는데, 그 여자분 충고를 듣고는 '에이 모르겠다' 하고 막 노래를 했어. 거리 공연도 그렇고 오늘 공연도 그렇고 내 울타리를 뛰어넘어서 성장할 수 있는 기회가 되었어. 힘을 북돋워줘서 정말 고마워."

나는 아무 말도 없이 한 잔 두 잔 맥주를 마시며 점점 취해갔지만, 한 가지만큼은 뚜렷해졌다. 니콜라스가 그토록 사랑하는 음악이건만 '실패'라는 위험을 걸기보다는 조용히 은둔하기를 원했던 것처럼, 장거리 연애라는 벽을 뛰어넘기보다는 벽에 부딪힐 상처가 두려워 그냥 그 자리에서 머무르기로 했던 것임을.

"결국 뭐든지 해보지 않으면 모르는 건데, 괜히 바보처럼 두려워했어. 성공하든 실패하든 일단 해봐야 아는 건데."

내 마음을 읽기라도 한 것처럼 그가 내 눈을 바라보며 속삭였다.

나는 그가 날 거절한 이유를 나 자신이 부족해서라고 생각했다. 내가 음악만큼 매력적이지 않아서, 모든 것을 걸 만한 가치 있는 사람이 아니기 때문이라며 스스로를 비하했다. 그러나 이번 일을 계기로 나는 그때의 쓰라린 기억이 나 자신의 문제가 아니었음을 알았다. 모든 건 해봐야 알 수 있을 뿐 해보지 않고는 절대 알지 못한다는 것을 그 역시 깨달았을 것이다.

나는 다시 한 번 다짐했다. 세상 모든 사람이 각자 다른 방식으로 살아가는 것처럼 세상에는 나와 맞는 것이 있듯이 맞지 않는 것도 있는데 실패가 두려워 시도조차 하지 않는 바보는 되지 말자고. 실패하더라도 결과에 집착하거나 자학하지 말고, 포기하지 않은 나 자신을 칭찬하면서 겸허하게 그 결과를 받아들이자고. 그렇게 우리

의 콘서트는 가슴속에 하나씩의 깨달음을 남기며 성공적으로 끝이
났다.

그녀는
하녀가 아니었다

한창 인터넷을 통해 외국인 친구들을 사귀던 시절, 알락이라는 태국 친구를 알게 되었다. 호주로 교환학생을 가는데 방콕을 경유할 거라고 하자, 알락은 반가워하면서 함께 사는 할머니가 외로워하셔서 손님 오는 것을 좋아하신다며 자기 집으로 초대했다. 초대에 못 이긴 나는 아예 일주일간 스톱오버(stopover: 여정상의 두 지점 사이에 단기간 머무는 것)를 하기로 했다.

공항에 한 시간이나 늦게 도착한 알락은 사진보다도 훨씬 더 잘생긴 외모에 재규어까지 끌고 나와 깜짝 놀라게 했다. 방콕 교외에 있는 그의 집에 도착하자 문지기로 보이는 사람이 거대한 문을 열어주었고, 문을 열고 들어가서도 한참을 운전해 들어갔다.

3개의 호수를 형형색색의 꽃들이 둘러싸고 있는 정원은 마치 공원에 온 듯한 착각을 불러일으켰다. 정원을 쓸고 있던 하인들은 알락의 차를 보고는 허리를 굽혀 인사했고, 제일 큰 호수 위에는 보트가 떠 있었다. 궁전 같은 본채 주변에는 예술 작품이 곳곳에 장식되어 있었다. 내가 묵을 손님용 별채, 하인들이 묵는 건물, 8대의 차가 주차되어 있는 주차장 등을 갖춘 알락의 집은 가히 궁전이나 다름없 는 곳이었다.

수십 개의 방과 대형 회의실, 다이닝룸, 태국 왕족과 함께 찍은 사진과 보석으로 장식된 라운지가 있는 대저택에서 알락과 할머니 단둘이 살고 있었다. 이 큰 집을 관리하기 위해 이곳에서 일하는 하인만도 16명이라고 했다. 무슨 일이 있을 때 벨을 누르면 하인들이 와서 무릎을 꿇고 수발을 들었다.

알고 보니 알락의 할아버지가 전 국방부 장관이고, 부모님의 이혼 후 알락이 유일한 상속자가 되었다고 한다. 아직 대학생인 알락은 취미 삼아 바도 하나 운영하고 있었다. 재규어를 비롯해 BMW, 벤츠 등 차도 가지가지 있고 방콕 시내에 고급 아파트까지 가지고 있었다. 그래서인지 "뭐하러 공부를 해야 하지? 어차피 대학 졸업하고 사업하면 명문대 나온 사람들을 뽑아서 쓰면 될텐데"라고 말하는 그의 사고방식과 졸업 후 스파 리조트를 짓겠다는 포부가 평범한 대학생인 나와는 많이 달랐다.

다음 날 기사가 운전하는 리무진을 타고 알락의 할머니와 함께 방콕 시내를 구경했다. 할머니가 가는 곳마다 하녀가 양산을 씌워주었고, 비가 오자 기사가 빗속을 뛰어와 우산을 씌워주니 이건 보통 귀족 대접이 아니었다. 나는 그 상황이 불편해 처음에는 하인들 얼굴조차 똑바로 쳐다보지 못하다가 유일하게 영어를 할 줄 아는 내 또래의 하녀와 점점 친해졌다. 잠시도 가만히 있질 못하는 나는 그 궁전 같은 집이 불편하기도 해서 며칠간 코사무이를 갔다가 호주에 가기 하루 전날 돌아왔다.

귀공자로 곱게만 자라서일까. 타인을 배려하는 것이 익숙지 않은 듯한 알락은 자기가 볼일을 보러 가야 되니까 나더러 집에서 기다리라고 했다. 내가 방콕에서의 마지막 날인 만큼 집에만 있기엔 아까우니 혼자 나가서 구경하고 온다고 하자, 휴대전화가 없는 내게 연락하기 불편하다며 자기 올 때까지 기다리고 있으라고 하고는 획 나가버렸다.

아무리 생각해도 황당했다. 초대해준 것은 정말 고마웠지만, 사실 여기 와서도 할머니나 하인들이 나를 돌봐줬고 그 친구는 얼굴 한 번 보기 힘들었다. 이럴 거면 뭐하러 초대했나 싶었다. 방콕의 마지막 날을 그냥 집에 처박혀 있으려니 궁전 같은 이곳이 지옥처럼 느껴졌다.

그러고 있는데 영어를 할 줄 아는 그 하녀가 아침 식사를 들고 왔다. 그녀는 나와 알락의 대화를 들었다면서 혹시 시내 구경을 하고 싶으면 자기와 함께 가자고 했다. 순간적으로 '왜 이 하녀가 구경을 시켜준다고 하지? 구경시켜주고 나서 팁을 엄청 줘야 하는 거 아냐?' 하는 걱정이 스쳐 지나갔다. 그래도 호의를 거절할 수 없어 알았다고 했고, 잠시 후 그녀는 티셔츠와 청바지를 입고 옅은 화장까지 하고 나타났다.

수수한 하녀 옷을 입을 때는 몰랐는데 살짝 상기된 얼굴로 나타난 그녀는 풋풋한 미모의 소유자였다. 우리는 삼륜구동차인 툭툭을 타고 왕궁으로 갔다. 여전히 내 머릿속은 '이 하녀가 도대체 원하는 게 뭐지?' 하는 생각으로 복잡하기만 한데, 툭툭을 타니 방콕의 매연으로 눈물이 눈앞을 가렸고 시끌벅적한 소음 때문에 그녀와 별 대화도 나누질 못했다.

왕궁에 도착하자 이곳저곳 구경시켜주고, 햇빛이 비칠 때마다 내 얼굴이 탈까 봐 양산을 씌워주는 그녀의 이름은 시니였다. 더운 날씨에 지쳐갈 무렵 시니는 시원한 곳으로 가자며 나를 쇼핑몰에 있는 커피숍으로 데려갔다. 아이스 프라푸치노에 시나몬 파우더를 얹어 달라는 주문을 하는 그녀를 보면서 그녀 역시 커피를 좋아하는 20대 아가씨라는 점이 새삼 충격으로 받아들여졌다.

하긴 겉으로 보면 누가 이렇게 예쁘고 상냥한 그녀를 하녀라고 생각하겠는가. 시니는 어쩌다 하녀가 되었을까? 시니는 자신의 본분(?)을 잊지 않고 내가 화장실에 가면 티슈를 챙겨주고, 손을 씻을 때는 비누를 건네주었다. 점심때 유명한 수끼 레스토랑에 데려가주었는데, 당연히 내가 사려고 했지만 그녀는 극구 사양하며 자신이 계산해 나를 더욱더 혼란스럽게 했다.

어느덧 알락이 들어올 거라는 오후 3시가 다 되어 우리는 집으로 돌아왔다. 화장을 지우고 하녀복으로 갈아입은 그녀의 모습을 보니 왜 내가 다 서러워지는 건지…… 나 역시 귀족보다는 하층민에 가까운 출신이라 귀공자인 알락보다는 그녀의 처지에 더욱 공감이 갔던 걸까. 비슷한 또래인 알락과 시니가 하녀와 주인 관계라니, 만감이 교차했다.

아무리 전화해도 알락은 오지를 않고 저녁 7시가 되어갔다. 멜버른 가는 비행기는 밤 12시니 아무리 늦어도 9시에는 집에서 나서야 하기에 안절부절 못했고, 나를 지켜보던 시니가 여기저기 전화를 했다. 그러다 그녀는 영어를 잘하는 대학 친구라며 전화를 바꿔주었다. '대학 친구? 아니, 시니가 대학까지 나왔단 말야?' 하는 생각에 놀라워 하고 있는데, 수화기 저편의 친구는 유창한 영어로 시니의 친구라며 자기가 차가 있으니까 공항까지 태워주겠다고 한다. 내가 택시를 타겠다고 걱정하지 말라고 해도 시니는 우겨댔고, 실랑이를 하던 중 8시가 되어서야 알락이 전화를 했다.

"미안한데 내가 좀 바빠서 얼굴 못 볼 것 같네. 기사한테 전화해 놨으니까 공항에 태워다줄 거야. 호주에서 잘 지내고 나중에 보자."

알락의 말에 기가 막혀 말이 나오질 않았다. 기사한테 전화까지 해 준 건 고맙지만 아까 수십 번 전화할 땐 한 번도 안 받고 이제야 가라고 하다니, 시니가 아니었으면 정말 하루 종일 집에만 있을 뻔

했다. 시니는 공항까지 와주었고, 우리는 서로 손을 잡고 수도 없이 고맙다는 인사를 했다. 비록 하루 동안의 인연이었지만 시니가 진정한 친구처럼 느껴졌다.

호주에 가서 태국 친구의 도움을 받아 태국어로 시니에게 감사 편지를 보냈다. 방콕에 있을 때 언어적 한계로 자세히 나누지 못했던 이야기를 할 수 있었다. 그녀 역시 태국어로 종이 3장을 빼곡히 채운 답장을 보내왔다. 시니는 가난한 집에서 태어나 다섯 살 때 이 집으로 와서 하녀로 일하며 지냈는데, 알락 할머니의 배려 덕분에 공부를 계속할 수 있었고 대학교에서 경제학을 전공했다고 한다.

대학 졸업 후 커리어 우먼이 된 대학교 동창들을 부러워하면서도 '설마 내 주제에' 하면서 취직을 할 엄두를 내지 못했고, 평생 그 집의 울타리 안에서 살아왔기 때문에 세상으로 나가기가 두려웠다고 했다. 그녀는 내가 알락처럼 한국에서 온 귀한 집 자제인 줄 알았는데 혼자 힘으로 돈을 벌어 대학을 다니고 교환 학생을 갔다는 것, 또 여자 혼자 여행을 한다는 사실에 충격과 동시에 자극을 받았다고 했다. 나는 또다시 태국 친구의 도움을 받아 장문의 답신을 보냈다. 사실 그녀를 보면서 하녀로만 머물러 있기엔 너무 아깝다는 생각을 수십 번 했다고, 대학도 나오고 영어까지 잘 하는 그녀가 갈 곳은 많을테니 그 집에서 청춘을 썩히지 말고 하고 싶은 일을 찾아보라고 했다.

그리고 6개월 뒤, 다시 방콕에 갔을 때 만난 시니는 하녀 생활을 청산하고 회사에 취직해 방콕 시내의 조그마한 아파트를 얻어 사는 커리어 우먼이 되어 있었다. 영어학원을 다닌다는 그녀의 영어 실력은 많이 향상되어 있었다. 우리는 아이스 프라푸치노를 마시며 오후 내내 영어로 수다를 떨었다.

몇 달 전 나를 주인으로 대접하던 하녀의 모습과 달리 이제 동등한 관계의 친구처럼 당당하고 자유로운 시니의 모습에 나도 모르게 가슴이 뭉클해져 갑자기 수다를 떨다 말고 그녀의 손을 꼭 잡아주었다. 순간 그녀 역시 내 눈을 바라보며 눈물을 글썽였다.

"수영, 난 말이야, 하녀라는 내 출신 때문에 세상이 나를 받아줄까 괜히 두려웠어. 사실 누가 날 하녀로 붙잡아 두는 것도 아니고, 내가 하녀였다는 걸 아는 사람이 있는 것도 아닌데 말이야. 바로 나 자신이 내 마음의 노예였던 거야. 내가 취직 후 독립하겠다고 하니까 알락의 할머니께서 대학을 보낸 보람이 있다고 무척 좋아하셨어. 내게 용기를 줘서 정말 고마워."

그녀도 내 손을 꼭 잡았다. 나는 시니가 용기있는 선택을 했고, 자신의 청춘을 쟁취해냈기에 누구보다 멋진 삶을 살 자격이 있다고 축복해주었다.

우리가 행복해지기 위해서는 두 가지 선행조건이 필요하다. 내 삶의 주인이 되는 것, 그리고 내 마음의 주인이 되는 것. 하지만 얼마나 많은 사람들이 자신에게 주어진 환경이나 상황을 고정불변이라 생각하고 여기에 끌려 다니는 노예로 살고 있는가.

대학교 때 우연히 연락을 받게 된 나의 고등학교 선배의 경우도 그렇다. 상고를 졸업하고 조그마한 사무실에서 경리로 쭉 일해온 그녀는 10년째 월급 80만원을 받고 있다고 했다. 대학생 남자친구를 만난 후 그의 친구들 앞에서 고졸인 자신이 너무 부끄러웠다며 자신도 대학교에 가고 싶다고 했다. 하지만 상고를 나와 어디서부터 시작해야 할지 모르던 차에 어디선가 나에 대한 얘기를 듣게 되었다며 수능 준비하는 데 도움을 청했다.

꿈이 특수학교 교사라는 그 선배가 정말 잘되길 바라는 마음에 나는 여러 번 시간을 내서 선배를 만나 공부 방법을 알려주었다. 그런데 그때는 정말 모든 걸 다 할 수 있을 것처럼 말했던 선배에게 확인차 연락을 하면 이런저런 핑계를 대면서 아직 시작을 못했다고 했다.

한번은 "정말 대학 갈 생각이 있는 거예요?" 하고 묻자, "가야 하는데 원하는 대학에 갈 점수가 안 나오면 어떡하지? 대학에 붙으면 학비는 어떻게 마련하지? 내가 대학 다니는 동안 우리 엄마는 누가 먹여 살리지? 대학을 졸업한다고 해도 임용고시도 봐야 하는데……" 하면서 끝도 없는 고민을 쏟아냈다.

한때는 세상 그 무엇보다도 간절히 원하는 것처럼 말했지만, 그런 식으로 고민만 하면서 그녀의 도전은 흐지부지 무너져 내렸다. 그리고 그 결과는? 자격지심 때문에 남자친구와 헤어졌고, 회사에선 여전히 80만원을 받고 일하며, 매일 한숨을 쉬면서 똑같은 모습으로 살아가고 있다. 자신의 삶을 바꿀 수 있는 유일한 사람은 자신이고, 자신의 내면엔 충분한 능력이 있다는 걸 모른 채.......

사실 해보면 별것 아닌데도 나 자신을 둘러싼 틀을 깨고 나온다는 것이 쉽지 않다. 이유는 많다. 그 틀 바깥에 얼마나 멋진 세상이 있는지를 몰라서, 그 틀 안에 있는 것이 편하거나 밖으로 나오기 귀찮거나 힘들어서....... 하지만 애벌레가 나비로 변신하기 위해서는 자신의 껍질을 벗는 혹독한 과정이 필요하듯, 자유롭게 날아다니는 나비들을 부러워만 하면서 계속 머뭇거리고만 있다면 평생 나비가 될 수 없다. 용기 내어 나를 둘러싼 껍질을 벗겨내는 고통을 감수할 때 비로소 새로운 세상으로 훨훨 날아갈 수 있는 것이다.

소설 〈데미안〉에 '새는 알에서 나오려고 투쟁한다. 알은 새의 세계다. 태어나려고 하는 자는 하나의 세계를 깨뜨려야 한다. 새는 신을 향해 날아간다. 신의 이름은 아프락사스다'라는 구절이 있다. '아프락사스'라는 신은 자신의 내면에 있으며, 내면의 목소리를 듣고 진정한 나로 성장하는 것을 의미한다.

나 역시 성장을 위해 수도 없이 알 속에서 머리를 부딪치며 깨뜨리는 고통을 감내해야 했다. '가난' '문제아' '상고생'이라는 꼬리표의 알, 하지만 그 알을 깨뜨리고 나자 나는 한 명의 독립적이고 자유로운 새가 될 수 있었다. 시니는 '하녀'라는 이름의 알을 깨뜨렸다. 사실 우리는 진짜 문제아도 하녀도 아니었고, 그냥 수영이자 시니라는 가능성의 존재였다. 계속 그 알 속에 머물러 있었다면 산소

부족으로 질식해버렸을지도 모른다. 그 알을 깨뜨리고 나오면 무궁무진한 산소로 가득한 파란 하늘이 펼쳐지는데 말이다. 맑은 공기를 들이쉬며 창공을 가르는 새가 되어 날아가는 모습, 상상만 해도 멋지지 않은가.

도전이 두려운 것은 '했다가 실패하면 어떡하지?'라는 불안 때문이다. 당신만 그런 것이 아니라 모두가 두렵다. 인간이 야생의 세계에서 위험신호에 예민하게 반응해야만 살아남도록 진화되었던 탓이다. 그럼에도 불구하고 불안을 극복할 수 있는 방법이 있다. 첫째는 그 도전을 했을 때 예상 가능한 최선과 최악의 시나리오에 대비하고 여기에 맞춰 준비하는 것이다. 두 번째는 자신의 한계를 깨닫는 것이다. 우리가 수영도 잘하지 못하는데 바다에 뛰어들게 되면 익사할까 봐 두려워 허우적댈 수밖에 없다. 바닥이 깊지 않다는 것만 알아도 여유가 생긴다. 바닥의 깊이를 가늠하는 유일한 방법은 바닥을 쳐보는 것이다. 즉, 계속 실패를 하다 보면 자신이 생각보다 강한 사람이라는 것을 깨닫게 되는 것이다.

바다가 깊을까 봐 무서워서 뛰어들지 못한다면 당신은 태평양처럼 넓은 자신의 잠재력을 발견하지 못한 채 평생 쪽배 같은 크기의 안전지대를 벗어나지 못할 것이다. 인생의 하녀로 살 것인지 주인으로 살 것인지는 당신의 선택에 달려 있다.

스카프 사세요,
세상에서 가장 멋진 스카프!

수백 년간 정글 속에 묻혀 있다가 세상의 빛을 본 앙코르와트에는 매일 수천 명의 관광객이 드나든다. 캄보디아 최대의 관광지인 이곳 앞에는 수백 명의 아이들이 진을 치고 있다가 관광객을 향해 달려들며 조악한 액세서리를 팔거나 구걸을 한다. 그런 아이들을 보면 학교에 있어야 할 그들의 미래가 걱정돼 심란했지만, 그것도 너무 많이 보다 보니 점점 무감각해졌다.

소파 역시 그런 아이들 중 한 명이었다. 앙코르와트 관광을 마치고 떠나려는데 어느덧 수십 명의 아이들이 우리를 에워쌌다. 그들과 애써 눈을 마주치지 않으려고 했는데 "스카프 사세요! 스카프!"라는 한국말에 고개를 돌아보았다. "너 한국어 할 줄 아니?"라고 묻자 동그란 눈의 소녀는 씽긋 웃으며 "Are you a Korean?"하고 묻고는 옆의 독일 친구에게는 독일어로 말을 건다.

"제가 가진 스카프 한번 보실래요? 비단으로 한 땀 한 땀 섬세하게 만든, 세상에서 가장 멋진 스카프를 단돈 1달러에 팔아요. 무슨 색깔 좋아하세요? 빨강? 파랑? 보라? 노랑? 모든 색이 다 있어요. 이렇게 여러 색이 혼합된 스카프도 있고요. 한국에는 이렇게 예쁜 스카프 없죠? 1달러에는 더더욱 없을 테고."

나는 스카프보다 청산유수 타고난 세일즈맨인, 반짝반짝 빛나는 눈을 가진 이 아이에게 더욱 관심이 갔다. 이런 일을 한 지 얼마나 되었는지, 부모님은 계신지, 이 스카프를 직접 만든 건지 아니면 누가 시켜서 파는 건지, 누가 시켰다면 실제로 돈은 얼마나 버는지…….

아이의 이름은 소파, 나이는 열 살. 거리 행상 경력 5년차인 이 소녀는 관광객들에게 영어, 프랑스어, 독일어, 한국어, 일본어를 배웠단다. 한국어나 일본어는 몇 마디 하는 수준이지만 영어와 프랑스어는 수준급이어서 놀라울 따름이었다. 부모님은 살아 계시지만 아버지는 지뢰로 양쪽 다리를 잃었고, 몸이 아픈 엄마는 집에 누워 계시며, 동생이 세 명이나 있어 가장 역할을 하고 있으니 그야말로 산전수전 다 겪은 여간내기가 아니었다. 하지만 1달러에 스카프를 팔면 그 돈을 스카프상 주인에게 고스란히 바치고 돌아오는 돈은 단돈 5센트, 그나마도 공치는 날이 많아 그런 날엔 주인에게 혼이

난다고 했다.

"넌 학교에 가고 싶지 않니? 너처럼 똑똑한 아이가 공부를 한다면 정말 훌륭한 사람이 될 텐데....... 커서 뭐가 되고 싶니?"

내 질문에 아이는 당당하게 답했다.

"전 커서 선생님이 되고 싶어요. 그런데 선생님이 되려면 대학에 가야 되는데 대학 학비가 보통 비싼 게 아니에요. 그래서 이 일을 하는 거예요. 언젠가는 이렇게 모은 돈으로 대학에도 가고 제 꿈을 이룰 날도 있겠죠."

열 살짜리 아이라고는 믿을 수 없을 정도로 차분하고 당당한 소파는 세상 물정을 다 아는 듯했다.

"그래, 별 큰 도움은 못 되겠지만 내가 이 보라색 스카프를 살게. 대신 정말 언젠가는 공부를 열심히 해서 꿈을 이룰 거라고 약속해야 돼, 알았지?"

소파는 고개를 끄덕였다. 친구로 보이는 듯한 남자아이가 소파를 물끄러미 바라보자 소파는 즉시 "이 아이 것도 하나 사주면 안 될까요? 얘는 일주일 전에 장사를 시작했는데 아직 영어를 잘 못해서 하나도 못 팔았어요"라고 말한다. 자기 먹고살기도 힘들 텐데 다른 아이들까지 챙겨주는 소파를 보면서 기특하다고 해야 할지, 안타깝다고 해야 할지....... 땟물이 줄줄 흐르는 그 남자아이는 아무 말도 못하고 초조한 눈빛으로 나를 물끄러미 바라보았다. 불안함과 비굴함이 서린 그 아이의 눈을 바라보는 것만으로도 과거의 고통스러운 기억이 떠올랐다.

나는 가난의 비참함을 안다. 초등학교 다닐 때 준비물을 살 돈이 없어 어린 마음에 구차한 거짓말을 해야 했고, 고등학교 때는 문제집 살 돈이 없어서 남이 버린 문제집을 지우개로 지워서 풀어야 했다. 치과에 갔는데 의사 선생님이 "파출부 아주머니 딸이구나"라며 간호사에게 치료비를 받지 말라고 했을 때 어린 마음에 수치스러워 고개도 들지 못했다. 그 파출부 일조차 끊겨서 몇십 원을 벌기 위해 거리를 돌아다니며 버려진 박스들을 모아 팔던 엄마를 부끄러워했다.

철없던 시절, 가난이 아니라 가난하다고 주저앉거나 도망치는 것을 부끄러워해야 한다는 사실을 나는 몰랐다. 어렸기에 내가 창피하고 불편한 것만 생각했지, 돈이 한 푼도 없어서 쌀을 얻으러 다닌 엄마의 심정이나 막노동으로 온몸에 굳은살이 박인 아버지의 고통은 헤아리지 못했다.

하지만 가난했기에 얻은 특권(?)도 많다. 이젠 업무상 공식적인 행사에 입고 갈 이브닝드레스도 있고, 특급호텔에 묵는 것도 익숙하다. 그러나 어릴 때부터 워낙 부족한 생활을 해 온 터라 세계를 돌아다니면서도 아무거나 맛있게 잘 먹고 웬만하면 탈도 안 나며, 바퀴벌레가 돌아다니는 호스텔이나 개미가 살을 뜯는 텐트에서도 잘 잘 수 있을 정도로 성격이 털털하니 말이다. 비싼 옷보다는 싸고 수수한 현지인들의 의상을 입고는 배낭 하나 메고 다니면서 현지인들과 쉽게 친구가 되기도 한다. 또 어릴 적 재래식 화장실이 있는 시골집에서 살았기에 웬만큼 더러운 화장실에 가도 충격을 받지 않는다. 초등 학교 시절 비포장도로를 덜컹대며 달리는 버스를 타고 통학을 한 탓에 꼬꼬댁 닭이 날아다니는 치킨 버스도 즐겁게 탈 수 있다.

그러나 가난이 내게 가르쳐준 최고의 가치는 뭐니 뭐니 해도 사람의 마음을 읽는 눈이다. 내가 가난하고 보잘것없을 때 만난 이웃들을 통해 사람의 진짜 가치는 내면에서 나온다는 점을 배웠다. 그래서 '명품으로 몸을 휘감기보다는 나 자신이 명품이 되자'고 다짐할 수 있었던 것도 가난이 준 교훈일 것이다. 없는 것에 불평하지 않고 조그만 것에도 감사할 줄 아는 마음, 가진 것을 최대로 활용하고 머리를 써서 부족한 것을 채우려는 사고방식은 가난이 내게 준 훌륭한 선물이다.

나는 그 남자아이가 팔고 있는 가방들을 찬찬히 훑어보다가 스카프 색에 걸맞게 보라색이 들어간 가방을 하나 골랐다. 장사 시작하고 처음 물건을 팔았으니 이제 용기 내서 열심히 팔아보라며 덕담을 하는데, 옆에 있던 소파가 종이 한 장을 내밀었다. 해바라기가 활짝 웃고 있는 그림 옆에 "제가 계속 꿈꿀 수 있게 도와주어 고맙습니다. 늘 행복하세요"라는 글자가 삐뚤삐뚤 쓰여 있었다. 거리에서 배운 영어라 그런지 철자가 틀리기도 했지만 소파의 긍정적인 태도와 강한 생존력이 해바라기 그림과 많이 닮은 것 같아

흐뭇했다.

"저도 유학 가고 싶은데 부모님이 저더러 직접 학비를 마련하래요" "저도 수영님처럼 세계를 돌아다니며 여행하고 싶은데 집에 돈이 없어요" 같은 독자들의 하소연을 듣고 있으면 가슴이 답답해진다. 자신이 직접 벌 생각을 왜 못하는 걸까? 아무리 자식을 사랑한다고 하지만 부모님도 자신만의 인생이 있다. 부모님 역시 힘들게 모은 돈으로 자신의 삶을 즐기는 것이 우선순위가 되어야 하지 않을까?

소파를 보면서 가난은 창피한 게 아니지만 가난하다고 아무것도 할 수 없다며 꿈을 포기하는 것은 정말 부끄러운 행동이라는 생각이 들었다. 또 아무리 열심히 살아도 끊임없이 가난의 굴레에서 벗어나지 못한다면, 그냥 열심히만 살 것이 아니라 뭔가 다른 방법을 찾아야 한다. 예를 들어 남들도 팔고 있는 스카프를 팔아 5센트를 벌기보다는 돈을 조금 투자해 믹서를 사서 스무디를 만들어 관광객들에게 판다던가 하는 방법도 있다. 물론 열 살 소녀가 그런 생각까지 하기를 기대하는 것은 무리겠지만.

내가 수많은 꿈을 찾고 도전할 수 있었던 원동력은 바로 결핍이었다. 먹고살기 위해 닥치는 대로 일을 하다 보니 미처 몰랐던 세계를 알게 되었고, 그러다 보니 하고 싶고 되고 싶은 것이 생겼다. 하지만 이를 이룰 수 있는 여건이 되지 않아 더 열심히 노력해서 조건을 갖춰 나갔고, 그 간절함의 힘으로 장벽을 뛰어넘을 수 있었다.

고등학교 때 같이 공부할 친구가 없어 외로움을 달래고자 매일 신문을 서너 종씩 읽다 보니 골든벨을 울리는 행운을 얻었고, 돈이 없어서 먹고살기 위해 아르바이트를 하다 보니 경력이 쌓여 좋은 회사에 들어갈 수 있었다. 영어를 배우기 위해 돈을 들인 것이 아니라, 먹고살기 위해 영어를 가르치면서 영어 실력이 늘어 전문 번역가로 일하기도 했다.

배가 고프지 않은 아이에게 자꾸 밥을 먹이면 아이들은 밥을 거부하거나 반찬투정을 한다. 반면 배가 고픈 아이는 부모 없이도 스스로 밥을 찾아 먹는다. 집에 음식이 없으면 직접 장을 봐서라도 뭐가 됐든 해 먹을 것이고 극단적인 경우지만 소파처럼 소녀 가장이 되어 돈을 벌어 오기도 한다. 마찬가지로 부모님이 시키는 대로 학원 다니며 주입식 공부만 한다면 시야가 좁아져 꿈이 생기기 쉽지 않고, 꿈을 향해 나아가는 길에 장벽에 부딪히면 그것을 극복할 만한 간절함이 없어 포기하기도 쉽다.

애매하게 가난하면 남들과 비교하며 자신의 처지를 한탄하는 편이 편하다. 남 탓을 하면 자신의 상태를 합리화할 수 있는데, 왜 굳이 귀찮음을 무릅쓰며 달라지려 하겠는가? 하지만 당장 굶어 죽게 생기면 신세 한탄할 시간조차 없어진다. 어떻게든 먹고살 궁리를 하게 된다. 극한 상황에 부딪힐수록 더더욱 살아남기 위한 다양한 아이디어를 쥐어 짜게 된다. 그래서 뉴스너Neusner는 이렇게 말했다. "삶이 너무 편하면 창의성이 메말라버린다. If life is too comfortable, creativity may dry up."

소파에 비하면 나는 운이 좋았다. 굶지 않았고, 장학금을 받아 고등학교를 마쳤으며, 우연히 TV에 출연해 골든벨을 울린 뒤 장학금을 받아 학비 걱정 없이 대학에 들어갔고, 좋은 대학을 다닌 덕분에 과외로 생활비를 벌 수도 있었다. 하지만 모든 사람이 나처럼 운이 좋지는 않다. 중국을 떠도는 수십만 탈북자들, HIV 바이러스를 가지고 태어난 아프리카의 아이들, 어릴 적부터 학대와 착취에 시달리는 아이들......

그래서 내 남은 인생에서 가장 큰 꿈은 더 많은 이들이 꿈을 이룰 수 있도록 돕는 것이다. 이제까지는 여러 NGO를 통해 아프리카와 남미에 있는 10여 명의 아이들을 후원해왔고 여행 중에 인연을 맺은 해외의 고아원과 가족을 직접 돕기도 했다. 궁극적으로 예순이 되기 전까지 재단을 만들어 가능성이 무한한 1만 명의 아이들에게 배움의 기회를 주고 싶다. 그로 인해 단 한 명이라도 가난 때문에 꿈을 포기하지 않을 수 있는 계기가 된다면, 그것만으로도 내 삶은 기적이라고 부를 수 있을 것 같다. 그 기적을 위해서라도 나는 더 성공하고 싶다. 단순히 돈을 많이 버는 성공이 아니라 당당히 노력해서 번 돈으로 베풀 수 있는 그런 성공.

나는 믿는다, 사람은 극한의 상황에 처했을 때 자신의 진짜 능력을 발휘할 수 있다고. 기적은 괜히 일어나는 것이 아니며, 그 기적을 이루는 힘은 바로 우리 안에 있다고.

Part 4

우리를 다시 일어서게 하는 힘

．
．
．

내가 남들을 미워하고 세상을 원망하면 할수록

불행과 고통이 되돌아왔다.

당연한 결과다. 내가 세상을 저주하는데

세상이 내게 축복을 내릴 리가 없지 않은가.

그러나 내 마음이 감사와 겸허로 채워지면서

엉켜 있던 실타래가 풀리듯 세상 일이 하나둘씩 풀리기 시작했고,

전혀 생각지도 못했던 훨씬 더 멋진 삶을 살기 시작했다.

나를 믿어준 한 사람

"제가 도대체 뭘 잘못했기에 때리시는 거죠?"

"이 자식이 지금 뭘 잘못한지 몰라서 그래? 네가 지금 제정신이야?"

학생과장 선생님의 몽둥이가 '엎드려뻗쳐' 자세를 하고 있는 내 허벅지와 엉덩이를 사정없이 내려쳤다. 말로 표현할 수 없는 고통이 뼛 속까지 느껴졌고 온몸이 후들거렸다. 얼마나 맞았는지 셀 수도 없었지만 오히려 정신은 또렷해졌다. '난 분명히 잘못한 게 없어. 이건 그들이 잘못한 거야. 언젠가 그들이 깨닫게 해주겠어'라는 생각이 고통보다 강해졌고, 오기 하나로 눈물을 삼켰다.

과산화수소 사건 이후 나는 '까진 아이'로 낙인찍혔고 사람들의 기대(?)에 부응하기 위해 담배도 피워보고 술도 마시면서 어설프게 어른 흉내를 내며 호기를 부렸다. 반항이 거세질수록 '사랑의 매' 역시 거세져 온몸에 멍이 가실 날이 없었다. 열다섯 살에 불과한 여학생의 몸은 주먹으로, 발길질로, 몽둥이로 만신창이가 되었고 폭력은 우리만의 세계에서 재생산되었다. 선생님들은 내가 보는 앞에서 내 친구들에게 나와 어울리지 말라고 대놓고 윽박질렀고, 조그만 잘못 하나에도 체벌을 가했다. 그럴수록 나도 마치 자유와 독립을 외치는 투사인 것처럼 선생님들에게 맞섰다.

한번은 쉬는 시간에 친구네 교실에 들어갔는데, 그 반 담임이 아이들 공부하고 있는데 내가 방해했다며 아이들 보는 앞에서 두꺼운 책으로 머리를 때렸다. 엄연히 쉬는 시간에 친구 얼굴 보러 들어간 것 뿐인데 50명에 가까운 다른 반 아이들 앞에서 맞다니, 분하고 서럽고 정말이지 이해가 되지 않았다. 도저히 견딜 수 없어서 학교 문을 박차고 나섰다. 막상 밖에 나왔지만 어디를 가야할지 모르던 나는 정처 없이 걷다가 공원에 도착했다.

따뜻한 햇살을 받으며 호수를 보고 있으니 마음이 좀 가라앉는가 싶었는데, 갑자기 공원 관리직원이 와서 어느 학교 학생이냐고 물었다. 다른 학교 이름을 대며 얼버무렸지만 학교로 확인 전화를 하는 바람에 거짓말이 금방 들통나버렸다. 얼마 뒤 담임 선생님이 왔고, 벤치의 내 옆자리에 앉았다. 선생님은 "1반에서 있었던 얘기 들었다"라는 말 한마디 하고는 아무 말도 하지 않았다.

담임 선생님은 "이왕 학교 바깥으로 나온 거 짜장면이나 먹으러 가자"면서 나를 중국집에 데려갔다. 선생님은 주머니 형편이 넉넉지 않아 짜장면 한 그릇을 둘이서 나눠 먹는 게 미안했는지 "선생님이 돈이 없어서 미안하네. 나중에 수영이가 성공하면 선생님 맛있는 거 사 주렴"하고 말했다. 짜장면을 먹고 나서 버스비가 없어 다시 학교까지 걸어오는데 왠지 미안해서 "선생님, 제가 나중에 성공하면 짜장면이 아니라 차를 한 대 사드릴게요"라고 활짝 웃으며 약속했고 우리는 학교로 돌아왔다.

매일같이 사고를 치고 가출을 하던 나를 다른 선생님들이 비난할 때 유일하게 나를 믿고 내게서 희망을 보신 분, 다들 손사래를 치던 내 담임을 맡겠다고 유일하게 나섰던 분, 바로 내 인생의 원조 멘토인 중학교 3학년 때의 담임 강충사 선생님이다. 수없이 사고를 치는 나 때문에 "내가 집사람이랑 담배를 끊기로 약속했는데, 수영이 네가 나를 담배 생각나게 하는구나"하며 끊었던 담배를 다시 무는 선생님을 보며 학교를 저주했던 나조차도 '정말 이러면 안 되는데' 하는 마음이 들었다.

학교 가기 싫었던 나는 강제적인 아침 '자율' 학습에 늘 지각했다. 그때 우리 반은 지각하면 벌금을 내기로 했는데 내 지각 벌금이 감당할 수 없을만큼 커지자 "수영아, 네 벌금 대신 우리 반 짜장면 한 그릇씩 돌려라" 하며 벌금을 지워준 선생님. 결석을 밥 먹듯이 하는 내게 되레 "수영아, 지금 외국어고 원서 접수 기간인데 지원할 생각 없니?" 하는 엉뚱한 질문을 하던 선생님에게 "전혀"라는 짧은 말 한마디로 답하는 버릇없는 나였지만, 마음속으론 늘 '선생님을 생각해서라도 정신을 차려야지' 하고 생각하곤 했다.

하지만 세 번째 가출 후 며칠 되지 않아 학교에서는 징계위원회가 열렸고, 그 자리에서 사실상 퇴학인 자퇴가 결정되었다. 안타까운 마음에 학교를 찾은 엄마가 "수영이 일주일 내로 찾아올테니 제발 기다려주세요. 앞날이 창창한 우리 수영이 인생을 봐서 한번만 더 기회를 주세요"라며 학생과장 선생님에게 무릎 꿇고 애원했지만 '교장 선생님의 명예로운 정년퇴직에 누를 끼칠 수 없다'라는 이유로 결국 졸업 3개월을 앞두고 나는 자퇴 처리되고 말았다.

그렇지만 강충사 선생님과 아이들만큼은 늘 내 편이었다. 내가 가출한 뒤 학교에서 수학여행을 갔을 때 우리 반 누군가 "선생님, 제가 수영이 닮은 애 봤어요!"라고 하자, 그날 일정을 취소하고 나를 찾는다며 낯선 도시에서 몇 시간을 헤맸다던 선생님과 친구들. 이미 자퇴서는 수리됐지만 나는 언젠가 했던 약속을 지키기 위해 몇 달을 아르바이트해서 모은 돈으로 졸업식 전날 50그릇의 짜장면을 교실로 배달시켜 선생님과 친구들에게 미안한 마음을 전했다.

비록 가출과 자퇴라는 결과를 맞았지만 선생님과의 인연은 끝나지 않았다. 고등학교 진학을 앞두고, 또한 수능 준비와 진로 결정을 하면서도 나는 선생님을 계속 찾아갔다. 선생님은 12시까지 야간 자율 학습 지도 강행군을 하면서도 불쑥불쑥 찾아오는 나를 반기며 조언을 아끼지 않았다. 특히나 대학에 가보겠다고 혼자서 공부하는 나를 위해 여기저기서 모의고사 시험지를 구해다가 독서실로 찾아와 건네주기도 했다. 어찌 보면 나는 선생님을 거쳐 간 수천 명의 제자 중 한명일뿐인데, 졸업조차 못한 못난 제자를 그토록 챙겨주시는 선생님의 깊은 사랑을 어떻게 말로 표현할 수 있을까.......

몇 년 전 극장에서 프랑스 영화 〈코러스Les Choristes〉를 보다가 선생님 생각이 나서 펑펑 울어버린 적이 있다. 옆에 앉은 친구들은 천상의 목소리를 가진 주인공 소년의 노래에 가슴 설레하는데, 나도 모르게 예전의 내 모습과 선생님 생각이 나서 창피한 줄도 모르고 소리내어 운 것이다.

아무런 미래도 없고 상처만을 안고 살아가는 제2차 세계대전 고아들을 사랑과 음악으로 가르치는 작곡가 매튜 선생님. 열다섯 살의 나는 영화 속에서 〈바다의 부드러운 손길Caresse sur L'ocean〉을 부르며 사람들의 숨을 멈추게 할 정도의 음악적 재능을 지닌 모항주도 아니고, 오지 않는 부모님을 기다리며 동정심을 불러일으키는 페피노도 아닌, 학교를 저주하며 방화를 저지르는 몽당처럼 삐뚤어지고 모두가 미워하는 아이였다. 아이들의 재능을 알아보고 사랑으로 다스렸던 매튜 선생님조차 몽당은 포기했지만, 강충사 선생님은 나를 포기하지 않았다.

내게서 무슨 희망을 보았기에 선생님은 늘 내 편이 되어주었던 걸까? 나는 그 희망은 기다릴 가치가 있었노라고 말하기 위해 10년 뒤 익숙하면서도 낯선 교실에 다시 섰다.

"선생님이 갑자기 몸이 좀 안 좋아져서 임시 선생님을 소개할까 하는데......."

40명 가까운 고3 남학생들의 혈기일까, 선생님 말이 끝나기도 전에 갑자기 교실이 웅성대기 시작하더니 "와 대박이다!" "임시 선생님 완전 예뻐요!"라는 소리가 들렸다.

"이 녀석들아, 아무리 임시 선생님이 예뻐도 그렇지 담임 선생님이 몸이 안 좋다는데 대박이 뭐야, 대박이? 여기 옆에 계신 이 아가씨는 임시 선생님이 아니라 내가 15년 전에 가르쳤던 제자다. 그런데 이 녀석이 사고를 좀 많이 쳐서 중학교도 졸업을 못 했다가 상고, 아니 정보과학고에 들어갔는데 골든벨을 울린 뒤 연세대에 들어갔다. 지금은 영국에서 일하면서 선생님보다 돈도 더 많이 벌고 잘나간다. 지금 잠깐 한국에 왔는데 너희를 위해서 내가 특별히 초청했으니까 잘 들어 봐."

갑자기 교실이 조용해졌고, 아이들의 눈망울이 초롱초롱 빛났다. 내가 인사를 끝내기도 전에 한 학생이 손을 번쩍 들더니 "누나, 수능 공부 어떻게 하셨어요? 비결 좀 알려주세요"라고 물었다. 내가 싱긋 웃으며 "제 비결은요, 확고한 목표가 있었다는 거예요"라고 말하자 아이들은 알 듯 모를 듯한 표정을 지었다.

"공부 자체는 별로 어렵지 않아요. 그런데 자기 자신과의 싸움을 이기는 게 더 힘들죠. 슬럼프가 왔을 때 확고한 목표가 있다면 자기 자신을 이길 수 있어요."

족집게 과외 선생님 같은 답변을 기대했던 아이들이 조용해졌
다. 그러고 나서 나는 한 시간 동안 꿈과 지구별에 대한 이야기를
했다. 저 넓은 세상에 가면 길이 많다고, 꼭 남들처럼 명문대에 가
야 성공하는 게 아니라 진짜 하고 싶은 일을 하라고. 어쩌면 뻔한
얘기일지도 모르지만 부모님이나 선생님이 아닌, 그 과정을 거쳐
간 선배가 해주는 얘기라서인지 아이들은 반짝반짝 눈을 빛냈고
몇몇 아이들은 고맙다며 이메일을 보내기까지 했다.

빨갛게 버무려진 낙지가 지글지글 끓고 있었다. 선생님이 "고맙
다. 아이들이 요즘 공부하느라 많이 지쳐 있었는데 네가 새로운 자
극이 되었을 거야" 하면서 낙지를 뒤집는데 식당 사장님이 오더니
인사를 했다.

"수영아, 인사해라. 선생님이 너 가르치기 3년 전에 가르쳤던 제
자야. 이 녀석도 말썽을 많이 피우고 자퇴를 하더니 사장님이 돼버
렸네. 내 제자들은 자퇴를 해야 성공하는가 보다."

선생님의 소개에 식당 사장님은 머쓱해하며 "아이고 뭔 소리당
가요. 선생님, 소주나 한잔 받으시랑께요"하며 소주병을 기울였다.

"이 세상에 하나밖에 둘도 없는 내 여인아, 보고 또 보고 또 쳐다
봐도 싫지 않은 내 사람아......."

말로만 '자율'인 자율학습 시간에 지쳐 있던 아이들에게 잠깐 엎
드려서 쉬라며 조용히 나훈아의 '사랑'을 불러주던 멋쟁이 선생님

도 어느덧 쉰 살이 다 되었고, 나도 이제 내가 그토록 싫어했던 어른이 되어 아이들 앞에 섰다. 세월이란 이런 것일까? 한때 그토록 처절했던 방황과 좌절의 기억도 이젠 웃으면서 이야기할 수 있다니.

"선생님, 제가 차 한 대 뽑아드릴까요? 제가 예전에 약속했잖아요."

"차? 인석아, 네가 아무리 선생님보다 돈을 많이 번다고 해도 그렇지! 에이, 아서라."

나는 영국에서 가져온 조그마한 선물을 내밀었다. 언젠가 했던 약속을 조금이나마 지키기 위해 내 손으로 마케팅해서 팔았던 페라리 모형 차였다.

세상 모든 사람이 나를 비난했을 때 유일하게 나를 응원해준 선생님, 그런 분이 있었기에 내가 꿈꾸는 것을 포기하지 않은 것이 아닐까? 선생님의 은혜를 평생 다 갚을 수는 없겠지만 나 역시 언젠가 누군가 아파하고 방황할 때 응원해주겠다고, 더 열심히 살아서 누군가에게 선생님처럼 훌륭한 멘토가 되어주겠다고 다짐했다.

엄마,
오늘은 밥하지 마세요

어릴 적 기억 속의 우리 가정은 화목했다. 열 살 때까지 살았던 광주에서는 한 달에 한 번쯤 갈빗집에 가서 외식을 했고, 부곡 하와이니 백양사니 여기저기 놀러 다닌 사진들을 보면 행복해 보인다. 올림픽이 열리고 남동생이 태어났던 1988년까지는 제법 행복한 기억으로 가득했건만, 어느 날부터 아버지가 집에 안 들어오기 시작했다. 하루는 밤에 자고 있는데 시끄러운 소리가 들려 일어나보니, 어떤 아저씨와 아주머니가 욕을 하며 돈을 갚으라고 고함을 질렀고 엄마가 울면서 빌고 있었다. 너무 놀라고 무서워서 울음이 터지는 내 입을 언니가 막았다. '우린 이제 어떻게 되는 거지?' 하는 걱정에 가슴이 터질 것 같아 밤새 잠을 자지 못했다.

열일곱 살 때부터 건축 공사 현장에서 목수 기술자로 일해온 아버지가 건설회사를 차렸다가 자금 흐름 문제로 부도가 난 것이다. 이후 빚을 갚기 위해 지방 공사 현장을 전전하던 아버지는 실패의 고통이 남아 있는 광주를 떠나 고향인 여수로 우리 가족을 데려갔다. 아파트에서 살던 우리에게 똥 냄새 풀풀 나는 재래식 화장실과 샤워 시설도 없는 시골집은 충격이었다.

집을 살 돈도 없어 그나마 동네 마을회관의 한 공간을 공짜로 빌려 주거용으로 사용했고, 부엌도 따로 없었다. 마당에는 메주나 고추 같은 것들을 말리고, 할머니들이 회관에 둘러앉아 술떡에 막걸리 잔을 기울이며 담배를 피우는 모습은 어린 마음에도 암담하게 느껴졌다. 양복을 입은 선생님들을 보면 파란색 작업복을 입은 아버지 모습이 부끄러웠고, 매일같이 술을 마시는 아버지가 미워 당시 갓난아기였던 남동생에게 "넌 어쩌다 이런 집에서 태어났니"하며 자조적인 한숨을 짓곤 했다.

훗날 골드만삭스에 다닐 무렵 회사 사람들과 사랑의 집짓기 봉사 활동에 참가한 적이 있다. 우리 딴에는 하루 종일 힘들게 일했다지만 겨우 보통 인부 한 사람이 할 몫을 한 것이라고 하니, 아버지가 40년 간 매일같이 겪어온 노동의 고통을 10분의 1도 이해할 수 없었을 것이다. 하지만 사춘기 시절엔 노동의 고통이 너무 커서 술을 마시지 않으면 잠을 이룰 수 없다는 아버지가 그저 밉기만 했다. 중학생이 된 내가 반항과 가출을 밥먹듯이 하면서 아버지와 나 사이 마음의 골은 더욱 깊어갔고, 결국 "나는 너를 포기했다"라는 아버지의 비수 같은 말을 들은 이후 우리는 말 한마디 나누지 않았다. 아버지를 보면 서운함과 미안함이 복잡하게 얽혀 목이 메도록 눈물만 삼킬 뿐이었다.

대학교에 합격한 뒤 가장 먼저 알리고 싶은 사람도 아버지였다. 그 말썽쟁이 딸을 이젠 포기하지 않아도 된다고, 다시 한 번 희망을 가져도 괜찮다고 당당하게 말하고 싶었지만 차마 말하지 못하고 합격증만 내밀었다.

어느덧 흰머리가 늘어가고 손자 보는 재미로 살아가는 아버지를 보면, 이렇게도 사랑이 많은 분인데 왜 우리는 그토록 오랜 시간 용기를 내어 화해하지 못하고 서로의 가슴에 벽만 쌓아올렸는지 후회가 밀려온다.

어른이 된 후에도 나는 참 나쁜 딸이었다. 대학교 다니면서 끊임없이 아르바이트를 하는데도 불구하고 은행 잔고가 0에 가까워지면 신경이 예민해져 "남들은 아르바이트 한 번 안 하고 학교를 마치는데 왜 난 이렇게 고생을 해야 돼?"하고 원망하며 부모님 마음을 아프게 했다. 대학교를 졸업한 후 안정을 찾기를 바라는 부모님의 마음과 달리 또다시 해외로 가서 부모님 애를 태웠다. 수화기 너머 들려오는 목소리가 조금만 달라져도 외국에 있는 딸이 감기라도 걸린 것은 아닐까 하는 자식 걱정에 잠 못 이루다가 어느덧 세월이 흘러 부모님도 환갑이 가까워졌다.

만날 말로만 효도한다고 했지 실천은 하지 않은 내가 첫 번째로 한 것은 부모님의 건강검진과 보험 가입이다. 평생 노동을 해온 아버지는 한 번 어디가 아플 때마다 병원비로 그간 모아놓은 돈을 다 쏟아 부어야 했다. 엄마 역시 온몸에 골병이 들었다. 아버지가 부도를 낸 당시 넷째를 임신 중이었던 엄마는 심신이 쇠약해져 8개월 만에 출산을 했는데, 하루 병원비 2만원이 없어 집에서 아이를 낳은 뒤 산후조리를 제대로 못해 평생 잔병치레를 했다. IMF 이후에는 가스비가 아까워 난방조차 하지 않고 지내 온몸이 시리다면서도 병원비가 무서워 아파도 참던 엄마가 갑상선 암 진단을 받았다.

이런 부모님의 모습을 보면서 앞으로 적어도 병원비 걱정은 하지 않도록 해야겠다는 결단을 내렸다. 이미 부모님 나이가 많아서 보험료가 상당해 여기저기 따져보며 골랐는데, 산전수전 다 겪었다는 보험 영업사원들이 나처럼 깐깐한 고객은 처음 봤다며 고개를 내저을 정도였다. 몇 달간의 고심 끝에 결정을 했으나 생각지도 않은 복병이 있었으니, 아버지의 간 수치가 높아 보험 가입이 불가능하다는 것이었다. 나는 거기서 포기할 수 없어 제발 술을 끊으라고 아버지를 간절히 설득했고, 20년간 술에 찌든 간의 해독을 위해 헛개나무즙을 달여서 보냈다.

그동안 엄마의 숱한 잔소리와 우리의 부탁에도 불구하고 노동의 고단함을 잊기 위해 술을 마셔왔던 아버지는 딸의 간곡한 부탁에 못 이겨 20년 만에 술을 끊었다. 몇 달 뒤 다시 받은 건강진단에서는 간 수치가 정상으로 나왔고, 보험에도 가입할 수 있었다. 보험에 가입할 수 있게 된 것보다 아버지가 불가능하다고 생각했던 금주에 성공해 더욱 기뻤다.

두 번째는 내 꿈 목록에도 있는 부모님 효도여행 보내드리기였다. 한국을 떠나 세계가 내 것인 것처럼 돌아다니면서 '이렇게 나 혼자 여행 다녀도 되나? 이렇게 좋은 것을 엄마 아빠와 함께하면 더 좋지 않을까?' 하는 생각이 커져갔다. 그래서 화려한 상하이上海와 고풍스러운 항저우杭州 그리고 동방의 베니스인 쑤저우蘇州를 방문하는 일정으로 가족 중국 여행을 계획했다. 원래는 부모님과 나, 남동생까지 4명이 가기로 했는데 여행 당일 동생이 엉뚱한 여권을 가져와서 안타깝게도 셋이서 여행을 하게 되었다.

부모님은 비행기에 오르는 순간부터 많이 설레는 모습이었다. 화려한 송성가무쇼나 서커스보다도 아버지를 설레게 한 것은 상하이 곳곳에 일어나고 있는 공사 붐이었다. 평생 수백 채의 건물을 지어온 아버지는 여기저기를 둘러보면서 건축 형태라든가 공사 공법에 관한 이야기를 끊임없이 하며 즐거워했다. 내가 보기에도 대륙의 기상을 실감케 하는 건축물의 규모와 화려함이 세계 어느 곳에도 찾아볼 수 없는 것이었고, 유람선을 타고 황푸강을 따라 감상하는 푸동의 화려한 스카이라인도 인상적이었다.

첫날 엄마는 무릎이 아파서 잘 걷지도 못하고 웃지도 않고 사진 찍는 것을 어색해했지만, 날이 갈수록 점점 얼굴에 화색이 돌았

다. 마치 세상 모든 것이 마냥 신기하고 궁금한 어린아이처럼 가이
드에게 계속해서 질문을 했다. 점점 신이 난 엄마는 노래를 부르고
얼짱각도로 사진도 찍는가 하면 중국에서는 남자가 밥을 차린다는
말에 중국 남자와 결혼하겠다는 농담까지 했다. 다리 아프다는 것
은 까맣게 잊은 채 신나게 돌아다니다가 여행 후 몸살이 났는데, 역
시 마음이 즐거우면 몸의 고통쯤은 아무것도 아닌가 보다.

여행 마지막 날, 엄마가 "나 한국 안 가고 중국에 남아 있으면 안
될까? 나 밥하기 싫어!"라고 했는데 농담 같은 그 말에 가슴이 아려
왔다. 나는 20년 가까이 엄마가 해주는 밥을 늘 당연하게 여겼고,
엄마가 좋아서 밥을 차리는 줄 알았다. 그래서 친구들과는 수도 없
이 외식을 하면서도 고향 집에 내려가서는 엄마 아빠와 외식할 생
각은커녕 엄마가 해주는 밥을 먹으며 설거지조차 하지 않았다.

엄마도 한때 나처럼 꿈 많은 아가씨였던 시절이 있었을텐데, 자
식 넷을 키우며 '엄마'와 '아내'라는 역할에 충실하면서 30여 년의
세월을 보냈다. 그 수많은 세월 동안 하루도 빼놓지 않고 밥상을 차
려온 엄마가 하루쯤은 쉬고 싶으리라는 생각을 왜 못했을까.

교환학생으로 호주에서 기숙사 생활을 할 때, 고3 시절 엄마가
가끔 독서실로 만들어다 준 양념통닭이 너무 먹고 싶어 직접 만들
어본 적이 있다. 생각보다 너무나 복잡하고 손이 많이 갔는데, 그
걸 먹으며 엄마 생각이 나서 한참을 울었다. 한창 수능 공부할 때는
학비를 감당할 수 없으니 고등학교만 졸업하고 취직하라던 엄마

가 너무도 원망스러웠다. 하지만 엄마라고 딸의 꿈을 꺾고 싶었을까. 해줄 수 있는 게 없어서 시장 청소를 하며 피곤한 몸으로도 몇 시간이고 이렇게 정성을 담아 딸에게 양념통닭을 만들어준 엄마의 그 마음을 모르고 원망했던 것이 너무나 미안할 뿐이다.

부모님을 위한 세 번째 목표는 바로 부모님이 여생을 행복하게 펼쳐갈 따뜻한 집을 마련하는 것이었다. 한때 힘겹게 내 집 마련에 성공했지만 자식 넷 키우랴 아버지 병원비며 생활비로 진 빚을 갚기 위해 팔아버리고 나이 60이 다 되도록 전셋집을 전전해온 부모님이 이제 이사 걱정하지 않을 수 있도록. 바로 이 꿈을 이루기 위해서 때로는 밤을 새워가며 부업으로 번역 일까지 해서 1억 원을 모은 것이다.

집을 사는 과정은 생각보다 쉽지 않았다. 수백 번 알아보고 마땅한 집이 나타나도 이런저런 장벽에 부딪히며 2년 가까운 시간을 고심하다가 직접 집을 지을 수 있도록 조그마한 땅을 샀다. 평생 다른 사람의 집을 짓고 살아온 아버지가 당신 손으로 집을 짓고 싶다는 소원을 이루길 바라는 마음에서였다. 계약서에 도장을 찍은 뒤 아버지는 "이제야 발 쭉 벗고 잘 수 있겠다"하며 설레했고, 엄마는 기쁨의 눈물을 흘렸다.

공사 기간 동안 아버지는 매일 자신도 모르게 새벽에 눈이 번쩍 떠졌다고 한다. 그리고 공사현장에 가서 "이게 내 집이란 말이여? 평생 남의 집을 지어왔는데 이게 진짜 내가 살 집이라고?" 하며 혼잣말을 했다고 한다. 평생 '분수에 맞게 살아야 한다'고 생각하신 분이 그때부터 '꿈은 이루어질 수도 있다'고 말한다. 그렇게 한때 내 인생의 가장 걸림돌이었던 아버지는 나의 가장 큰 지지자가 되었다. 그래서 부모님께 집을 사드린 것은 내가 이룬 꿈 중에 가장 보람 있었던 꿈 중 하나이다.

누군가를 변화시킨다는 것은, 특히 나이 든 부모님을 변화시키는 것은 불가능에 가깝다. 아무리 좋은 이야기도 백번 해봐야 소용이 없다. 하지만 본인의 꿈이 눈앞에서 이루어지면 패러다임의 전환이 일어날 수밖에 없지 않을까. 이렇게 내가 꿈을 이루면 나는 다른 누군가의 꿈을 이뤄줄 수 있고, 누군가의 꿈 그 자체가 될 수도 있는 것이다.

수능 375점의
비밀

실업계 고등학교 3학년, 아이들이 하나둘씩 취업을 해 빠져나가면서 교실 분위기는 그야말로 어수선하기 짝이 없었다. 공부를 잘하는 아이들은 대기업 공장으로, 못하는 아이들은 중소기업체 공장으로 취업해 나가기 시작했다. "전교 2등 아무개가 삼성전자 사무직으로 취직했대!"라는 말에 부러움과 질시의 함성이 퍼졌고, 또 다른 아이들은 뒤늦게 대학 진학을 결심하고 공부를 시작하기도 했다. 하지만 대부분 취업을 앞둔 아이들에게 공부에 대한 의욕이 있을 리 만무했다. 특히 남녀 합반이던 우리 반은 교실에서 남학생들이 축구공을 차서 유리창을 깨뜨리는 등 아수라장이었다.

고등학교 1학년 말, 처음으로 본 모의고사 점수는 400점 만점에

110점. 전국에 있는 어떤 대학교도 갈 수 없는 상태였다. 수능 공부를 시작했지만 학교에서도 진학 공부는 가르치질 않고, 학원이나 과외는 꿈도 못 꿀 형편이니 어떻게 공부를 해야 할지 막막했다. 문제집 살 돈도 없어 어쩔 수 없이 소각장을 비롯한 여기저기서 쓰다 남은 문제집을 얻어 왔고, 매일 한 시간씩 팔이 아프도록 지우개로 문제집을 지워가며 묵묵히 공부를 했다.

고3이 되면서 나는 마음을 다잡기 위해 유일한 위안이던 PC통신도 끊고 삐삐도 해지해버렸다. 그럼에도 공부할 수 있는 환경은 전혀 만들어지지 않았다. 그렇게 시끄러운 환경에서 암기는 힘들고 유일하게 집중할 수 있는 과목이 수학이라 매일 수학 문제집 한 권을 붙들고 한 챕터씩 공부했다. 그러다가 자기 과목 시간에 다른 공부를 한다고 선생님께 책을 뺏기기 일쑤였다. 내 목숨과도 같은 책을 뺏기고 나면 나는 교무실에 가서 거의 울다시피 사정사정을 했고, "네가 전교 1등이라도 우리 학교에선 이제까지 전문대 간 게 다야. 꿈도 좋지만 현실을 알아라"하는 선생님의 말에 세상이 모두 내게 등을 돌린 것 같아 서운했다.

집에서도 마음 붙일 곳 없기는 마찬가지였다. IMF가 터지고 아버지도 일거리가 없어 집에만 있는 날이 많아졌다. 보다 못한 엄마가 공공근로며 파출부나 시장 청소 일로 끼니를 이어갔다. 대학 학비 댈 일이 막막했던 부모님은 내가 대학의 꿈을 포기하고 하루빨리 취업해서 가정 형편에 도움이 되기를 바랐지만 나의 의지를 꺾을 순 없었다. 다락방에서 공부를 하다 졸릴 때면 발을 얼음물에 담가 잠을 깨워가며 공부를 하면서도 부모님에 대한 원망이 커져갔다.

3월, 4월, 5월, 아무리 노력해도 330점의 벽을 넘어서지 못하면서 마음고생은 더 심해졌다. 학교를 그만둘까 고민도 하고 실제로 학교를 안 나가고 거리를 방황한 적도 있었다. 그러다 사건이 터졌다. 학교 선생님들과 친구들에게 많이 서운했던 내가 '공부하고 싶어도 할 수 없는 학교'라는 한탄 비슷한 글을 학교 웹사이트에 올렸는데 그게 파장을 일으킨 것이다.

그 글에 남학생들이 교실에서 축구를 하다가 유리를 깨뜨린 일, 선생님들에게 서운한 점 등 절박한 심정을 드러냈다. 물론 지금 돌이켜보면 극히 자기중심적인 행동이었지만. 그로 인해 선생님들이 "네가 대학 가봤자 얼마나 좋은 대학 가겠다고 학교를 무시하냐"라며 혼을 냈고, 같은 반 남학생들이 이로 인해 체벌을 받게 되면서 내게 말을 거는 아이가 한 명도 없었다.

초등학교 때 겪었던, 내 중학교 시절 방황의 뿌리가 된 왕따를 6년이 지나 다시 겪다니…… 다리에 힘이 풀리고 이제까지 노력해온 모든 것이 물거품이 되는 느낌이었다. 그렇지만 중학교 때처럼 도망칠 순 없었다. '내겐 꿈이 있어. 지금 여기서 포기하면 다시 원점으로 돌아가는 거다. 아무리 힘들어도 이겨내야 한다'라고 스스로에게 끝없이 암시를 걸었다.

하지만 말할 사람이 아무도 없어 견디기 힘들 때면 집 근처에 피어난 꽃들에게 말을 걸곤 했다.

'꽃들아, 나 지금 너무 힘들어...... 아무도 내게 말을 걸어주지 않아. 공부하는 것도 힘든데, 더 힘든 건 아무도 날 지지해주지 않는다는 거야. 내가 뭘 그렇게 잘못한 거지? 난 정말 공부하고 싶고, 꿈을 이루고 싶은 것뿐인데...... 너희는 날 응원해줄 거지? 1년 뒤에 난 연세대 학생이 되어서 당당하게 서울의 거리를 활보하고 싶어. 그리고 몇 년 뒤에는 기자가 되어 있을 거야.'

꽃들은 내 마음을 아는지 모르는지 모르겠지만 아름다운 향기를 뿜어냈고, 난 그것만으로도 한 줌의 위안을 삼아 지친 마음을 추스를 수 있었다. 그러면서 앙드레 말로의 "오랫동안 꿈을 그리는 사람은 그 꿈을 닮아간다"라는 말을 되뇌며 '언젠가는 나도 내 꿈을 닮아가겠지'하고 희망을 걸어보았다.

당시 내게 힘이 된 유일한 사람은 초등학교 때 같은 반 친구였던 석원이였다. 석원이는 키가 크고 농구를 잘해 체육 특기생으로 서울에 있는 고등학교를 갔는데, 무릎 부상으로 농구를 할 수 없게 되어 여수로 돌아와 1년 늦게 공고에 들어갔다. 설상가상으로 어머니가 백혈병으로 투병하다 돌아가셨는데, 그 과정에서 마음고생뿐 아니라 빚까지 많이 지게 된 석원이의 아버지는 빚쟁이들을 피해 사라졌다.

여동생과 단둘이 남게 된 석원이는 그야말로 소년 가장이었지만, 아버지가 살아 계셨기에 생활보조금조차 받을 수 없었다. 그래서 석원이는 고등학생 신분임에도 수업이 끝나면 채소 장사에 식당 서빙, 막노동까지 끊임없이 일을 해야 했다. 하지만 그렇게 힘겨운 노동에도 불구하고 학교에서 전교 1등을 놓치지 않았다. 아르바이트 때문에 밥 먹을 시간조차 없었음에도 석원이는 내가 외로울 때마다 유일한 말벗이 되어주었다.

"정말 대학에 갈 수 있을까? 지금으로는 너무 아득하게 느껴져."

"향일암에서 신년 일출을 보면 소원을 이루어진대. 거기서 그 소원을 빌어보면 어떨까?"

석원이의 제안에 우리는 즉흥적으로 3시간 동안 덜컹대는 버스를 타고 향일암에 갔다. 우리처럼 일출을 보러 온 사람들을 위해 〈전국 노래자랑〉 비슷한 무대를 마련하여 밤새 공연과 퀴즈 등의 쇼가 이어졌다. 운 좋게도 퀴즈를 맞혀 돌산 갓김치를 상품으로 타기도 하면서 즐거운 시간을 보냈다.

한겨울에 밤새 밖에서 벌벌 떨고 있는 내게 자기는 괜찮다며 점퍼를 벗어주고, 깜깜한 새벽 산행에 자꾸 발을 헛디디는 나를 부축해주는 석원이 덕분에 어둠을 헤치고 향일암에 오를 수 있었다. 1999년의 첫 태양이 솟아올랐고, 그 장엄한 빛을 받으며 나는 간절히 기도하고 기도했다. 제발 이 노력과 고통이 헛되지 않도록 꼭 원하는 대학에 가게 해달라고……

몇 달 뒤 석원이가 대학에 가겠다고 뒤늦은 결심을 했다. 학비를 마련할 형편이 못 되지만 한번 해보겠다고, 그렇지 않으면 평생 후회할 것 같다고……. 석원이의 의지를 기특하게 여긴 독서실 원장님이 공짜로 독서실에서 공부를 하도록 해주었고, 붙임성 좋은 석원이는 나까지 그 독서실에서 공짜로 공부할 수 있도록 도와주었다. 유난히 머리가 좋은 석원이는 내가 1년간 공부한 것을 한 달 만에 따라잡았다. 그런 석원이를 보면서 나는 내 머리의 한계를 느끼곤 했다. 그러던 석원이가 점점 독서실 출입이 뜸해지더니 어느 날 독서실에 짐을 정리하러 왔다.

"나 입시 공부 포기하기로 했어."

"왜? 말도 안 돼. 몇 달만 공부하면 넌 서울대도 갈 수 있을 텐데."

"여동생이 가출을 했어. 동생 찾으러 가야 돼. 당장 먹고살 돈도 없고……."

"……"

돌아가신 어머니, 사라진 아버지 외에 유일한 혈육인 여동생을 위해 모든 희생을 감수하고 있던 석원이에게 동생의 가출은 너무나도 허망하고 자신의 존재마저 부정하는 일이었으리라.

"나 실미도나 갈까 봐."

"실미도가 뭐야?"

"고아나 사형수들을 실미도라는 섬에 데려가서 북한으로 보낼 요원들로 양성한대. 차라리 그렇게 사라져버렸으면 좋겠어. 아무짝에 소용없는 내가 국가에라도 도움이 되게 말이야."

그날 밤늦게까지 석원이는 실미도에 대한 얘기를 늘어놓았다. 당장 먹고살기도 힘든데 입시 공부를 해보겠다고 결심한 석원이가 저렇게까지 극단적인 생각을 하다니...... 정말 공부를 포기하기로 마음을 굳힌 것 같아 불안했고, 석원이가 받아온 고통에 나까지 마음이 저려 왔다.

그날 이후 석원이는 사라져버렸다. 있는 돈 없는 돈 모아서 산 문제집들을 나에게 넘겨주고. 석원이에 비하면 미우나 고우나 부모님이 살아 계신 것만으로도, 저렇게 당장 생계와 부양가족까지 걱정할 필요가 없다는 것만으로도 난 축복받은 아이였다. '아무리 힘들어도 석원이 몫까지 열심히 공부해야겠다'고 다짐하면서 애써 마음의 평정을 찾았다. 석원이를 생각하면 내 아집과 조바심이, 모든 원망과 분노가 녹아내렸다. 그러나 나는 석원이가 다른 곳은 몰라도 실미도만큼은 가지 않기를 간절히 빌고 또 빌었다.

그렇게 마음을 비우자 대학에 대한 집착보다는 삶에 대한 감사가 내 마음을 채웠고, 공부도 한결 수월해졌다. 석원이가 준 문제집을 풀고 지우고 또 풀고를 반복하면서. 매일 아침 7시부터 새벽 1시까지 공부하는 것이 피곤한 줄도 모르면서 지낸 내 열아홉의 여름이 지나던 무렵, 아무리 노력해도 절대로 이해할 수 없을 것만 같았던 수학을 2개월 만에 끝냈다. 그리고 늘 80점 만점에 20점을 밑돌던 수학이 60점대로 껑충 뛰었다.

2학기가 시작되고 교실은 여전히 시끄러웠지만, 이제는 아이들을 원망하기보다는 화장실이나 옥상에 가서도 공부를 할 수 있는 경지에 올랐다. 그리고 9월에 본 모의고사 점수가 370점, 10월에 본 모의고사는 385점, 원하는 대학을 갈 수 있겠다는 자신감이 생겼다.

어느덧 수능이 코앞으로 다가왔다. 수능 전날, 그간의 고군분투가 눈앞에 아른거려 잠을 못 이루고 있는데 밤 12시에 누군가에게서 전화가 왔다. 석원이였다.

"나 지금 너희 집 앞이야. 잠깐만 나와봐."

너무나 오랜만에 듣는 목소리에 반갑기도 했지만, '얘가 내일이 수능인 걸 모르나?' 하면서 퉁퉁대며 나갔다. 영하로 떨어진 날씨에 차가운 바람을 맞으며 기다리던 석원이는 꽁꽁 언 손을 호호 불면서 내게 찹쌀떡을 내밀었고, 난 눈물이 앞을 가려 아무 말도 하지 못했다.

다음 날 수능을 마치고 나오는데 시험장 밖에서 석원이가 어디선가 빌려 온 고물차를 세워놓고 기다리고 있었다. 평소 자신 있던 영어 듣기 평가 중 스피커 잡음 때문에 두 문제를 놓친 것이 너무 억울했던 나는 오는 길에 차 안에서 엉엉 울었다.

지금 돌이켜보면 수능을 볼 수조차 없었던 석원이 가슴에 비수를 꽂은 건 아니었는지. 그 머리로 계속 공부를 했더라면 만점도 받았을 석원이는 얼마나 속이 상했을까. 그럼에도 석원이는 아무런 티도 내지 않고 그동안 수고했다며 돈도 없으면서 저녁을 사주었다.

수능 결과는 375점이었다. 기대한 것보다는 낮았지만 꿈꾸던 연세대를 들어갈 수 있는 점수였다. 공부 자체보다는 그 과정이 너무나 고통스러웠다. 하지만 흔들리지 않을 수 있었던 것은 바로 내꿈, 주어진 상황에 감사하는 마음, 그리고 석원이를 비롯한 주변 사람들 덕분이었다.

석원이가 아니었더라면 그 힘든 시절을 어떻게 이겨냈을까. 하지만 석원이는 다시 사라졌고, 나는 대학에 입학해 서울로 올라가 바쁜 학교생활에 적응하면서 석원이를 잊고 지냈다. 그러던 어느 날, 석원이에게서 한 통의 편지를 받았다. 경기도 어딘가의 공사장에서 막노동을 하고 있는데 잠깐 볼일을 보러 서울에 갔다가 신촌에서 우연히 나를 보았다고. 학교 친구들과 활짝 웃으며 재잘재잘 이야기하는 내 모습을 보고 자신이 너무 초라해서 인사조차 할 수 없었다는 그 편지를 읽으며 '바보……'라는 말밖에 나오질 않았다.

내가 다리가 아프다고 하면 말없이 업어주고, 피곤하다고 하면 가방을 들어주면서도 자신의 아픔은 꽁꽁 속으로 삭히던 석원이. 손 한 번 잡은 적 없고 좋아한다는 말 한마디 하지 않았어도, 난 그가 날 많이 아꼈다는 것을 안다. 내가 힘들어하는 순간에 나타나 힘을 주고 내가 행복한 순간에는 사라졌던 그가 언젠가 다시 나타난다면, 뒤늦은 감사 인사와 함께 이제 다시는 사라지지 말고 평생 소중한 친구로 지내자고 붙들거다.

꿈과 현실,
그 경계에 대하여

지난 50년간 가장 추웠다는 지난 겨울 폭설이 내리던 어느 날, 사진 선생님과 제자들이 신년을 축하하며 한 펍에 모였다. 다들 날씨 얘기에 집중하는 가운데 선생님의 표정이 어두웠다. 맥주 한 잔을 들이켠 선생님은 한숨을 내쉬었다.

"디지털 카메라가 나오면서 내 주종목인 인물 사진 시장이 확 죽었어. 웨딩 사진으로 먹고 산 지 벌써 10년인데 아무래도 겨울에는 결혼식이 없다 보니 매년 겨울을 넘기기가 힘드네. 올해는 경기까지 안 좋아서 더더욱 힘들어. 거짓말 안 보태고 나흘 뒤면 당장 굶어야 할 처지야. 원래 예술가의 세계는 극소수의 성공한 예술가를 제외하고는 대부분 배고프게 사는 거지. 뭐 나야 그걸 알고 시작했기에 괜찮지만 가족들 볼 면목이 없어. 특히 고등학교 입시를 앞둔 큰딸한테 들어가는 돈이 많은데, 아빠가 돼서 그 돈도 못해주니 정말 가슴이 찢어질 것 같아."

예전에 우리 부모님 심정이 저랬을까, 하는 생각에 그의 처지가 안타까웠지만 딱히 별말도 못하고 한숨을 쉴 수밖에 없었다. 사진을 배우고 싶다는 생각에 인터넷을 뒤지다 우연히 만난 선생님은 정말 재능 있는 사진작가였고, 나를 비롯한 제자들에게 무료로 자신의 비법을 가르쳐주었지만 돈 버는 데는 젬병이었다. 그의 다른 제자들 중에는 나 같은 직장인도 있고 자기 사업을 하는 사장님도 있는데, 그들 중 일부는 전문 사진작가 수준이어서 부업 삼아 웨딩 촬영도 하지만 일이 많든 적든 본업이 있기에 먹고사는 데는 지장이 없었다.

예술가란 정말 배고픈 직업일까? 고민하던 중 갑자기 떠오르는 사람이 있었다. 발리에서 만났던 인도네시아 친구의 삼촌인 지기. 지기 역시 가난한 화가로 캔버스 살 돈도 없어 티셔츠에 그림을 그려 관광객들에게 팔기 시작했다. 15년 뒤, 그는 어느덧 직원 20명을 거느린 티셔츠 공장을 운영하면서도 계속해서 자신의 스타일로 그림을 그려 꾸준히 전시회도 여는 등 화가로서의 본분을 잃지 않았다. 스스로를 정해진 틀 안에 가두지만 않으면 생각하지 못한 다른 곳에서 가능성을 찾을 수도 있는 것 아닐까.

흔히들 '꿈은 높은데 현실은 시궁창'이라고들 한다. 또한 "꿈과 현실 사이에서 고민이에요"라며 우는 소리를 한다. 그럴 때 대부분 꿈은 '하고 싶은 일' '재미있는 일' '창의적인 일'이고, 현실이란 '먹고사는 일' '지겨운 일'을 의미한다. 그 바탕에는 '하고 싶은 일을 해서는 먹고 살기 힘들다'는 생각이 깔려 있는데, 어느 정도는 사실이다.

대학로의 수많은 연극인이 한 달에 몇십만 원도 안 되는 돈을 받으며 꿈 하나로 견뎌내고 있고, 소설가를 꿈꾸던 선배는 나이 서른에 부모님께 받는 용돈으로 생활하는 것이 괴롭다며 결국 취업을 했으며, 영화배우를 꿈꾸던 친구는 부모의 강요로 어쩔 수 없이 의대에 입학하고도 계속 방황했다. 누군가 눈물 젖은 빵을 먹어보지 않은 자는 예술을 논하지 말라고 했다지만, 눈물 젖은 빵을 평생 먹는 것은 너무 고통스럽기에 대부분의 사람은 현실적인 옵션을 택한다.

나 역시 예전에는 '모 아니면 도'라고 생각했다. '배를 곯더라도 무작정 세계 일주를 할 것인가'와 '일단 참고 재미없는 직장생활을 해서 돈을 모을 것인가' 사이에서 고민했고, 직장생활을 결심했을 때 마치 꿈을 포기하는 것처럼 느껴졌다. 하지만 춤, 사진, 여행이 꿈인 것처럼 비즈니스를 배우고 내가 하고 싶은 일을 할 수 있을 정도의 부를 쌓는 것 역시 나의 또 다른 꿈이었다. 하나를 위해서 다른 하나를 포기하는 것이 아니라 둘 다 동시에 추구할 수 있다는 생각은 왜 하지 못했을까?

모든 일을 먹고살기 위해서 한다면, 또 먹고사는 일만 하며 산다면 인생이 얼마나 무미건조하겠는가? 꿈이 반드시 직업이 되어야 한다는 강박관념을 버리면 우리 삶의 선택지는 많아진다. 아무리 좋아하는 일도 매일 하다 보면 질리기도 하고 1등을 하지 못해 전전긍긍하다 경쟁에서 도태되면 괴로움이 시작된다. 반대로 아무리 재능이 없어도 내가 좋아하는 일을 취미 생활로 하면 삶의 활력소가 되고 그렇게 다양한 꿈에 도전하면서 삶은 더욱 풍요로워진다.

이제 나는 사람들이 "무슨 일을 하나요?" 하고 물으면 "저는 마케터이자 여행가이자 번역가이자 블로거이자 사진작가예요"라고 말한다. 사람이 꼭 한 가지 일만 해야 할 필요는 없지 않은가. 아무리 좋아하는 일도 업이 되면 하기 싫을 때가 있는 법, 괴로운 프로보다는 즐거운 아마추어로 남아도 괜찮은 것이다.

영국에서 직장생활을 하던 시절, 나는 부업으로 번역회사를 운영하며 남부럽지 않은 소득을 올리면서도 매달 해외여행을 다녔다. 출퇴근 시간이 자유롭고 재택근무가 가능하며 1년에 5주의 휴가가 있는 덕분이었다. 회사를 나와 내 이름을 걸고 일하는 지금도 노트북 컴퓨터 한 대만 있으면 전 세계 어디서나 일할 수 있다. 그래서 2년간 해외의 여러 나라들을 돌아다녔고 한국에서도 지방에 강연하러 갈 때마다 근처 맛집도 가고 절에서 템플스테이도 하며 일상의 쉼표를 찍곤 한다.

여행을 하고 싶다고 해서 꼭 풀타임 여행자가 될 필요가 없고,

사진을 찍고 싶다고 해서 전업 사진작가일 필요는 없는 것이다. 나는 한때 기자를 꿈꿨지만 굳이 전업 기자가 되지 않고도 블로그에 글을 올리면서 글 쓰는 즐거움을 계속 누리고 있다. 또 프로 뮤지션이 될 실력은 되지 않지만 재즈 클럽에서 보사노바 공연을 했고 'Fly to Your Dream', 'I-YA', '떠나알라'라는 노래를 만들어 앨범도 내고 뮤직비디오도 직접 제작했다.

Fly to Your Dream   I-YA   떠나알라

내가 여행지에서 만난 일본인 여행자는 명문대인 게이오대학교를 나왔지만 남들처럼 샐러리맨이 되기보다는 좋아하는 요리와 여행을 하고 싶어했다. 두 가지를 동시에 할 수 있는 길은 쉽지 않아 보였다. 그러다 그는 마음에 맞는 친구와 함께 대출을 받아 조그마한 레스토랑을 열어 6개월은 친구에게 레스토랑을 맡기고 여행을 가서 여기저기 현지음식을 맛보며 조리법을 배워 온다. 그다음 6개월간은 친구가 세계여행을 간 사이에 자신이 여행 중 배워 온 조리법으로 메뉴를 바꾸고 레스토랑을 운영한다. 그는 그렇게 자신의 꿈을 현실로 만들었다.

전혀 다른 꿈을 동시에 이루는 사람도 있다. 예전에 내가 벨리댄스를 배운 미국인 선생님은 낮에는 변호사로 일하면서도 밤에는 벨리댄스 공연 및 강습을 했다. 사실 한국이나 외국이나 변호사라는 직업은 일이 있을 때마다 수도 없이 밤샘을 하고 시간에 쫓기는 직업인데, 어떻게 강습까지 할 시간을 내느냐고 묻자 그녀는 미소를 지으며 대답했다.

"춤을 출 때 난 살아 있다는 느낌이 들어요. 그 짜릿한 느낌을 잊지 못하고 매일 무대에 서요. 그러고 나면 변호사로서의 나 자신에 대해서도 더욱 당당할 수 있거든요. 그리고 나는 뭐든지 한번 시작하면 100퍼센트가 아닌 120퍼센트를 하려고 해요. 변호사로서도 최선을 다하고, 취미 생활조차도 한번 배우면 다른 사람들을 가르칠 수 있는 경지에까지 오를 수 있도록요. 그렇게 하지 않으면 해도 되고 안 해도 되는 취미생활에 불과해요. 하지만 다른 사람들을 가르치는 것은 그 사람들과 약속을 하는 거예요. 그 약속을 지키기 위해서라도 꾸준히 연습하게 되어 실력도 녹슬지 않을뿐더러, 그 시간을 내기 위해 회사에서 더 집중해 일하게 되거든요."

반대로 꼭 하고 싶은 일을 지금 당장 해야 하는 것은 아니다. 나이가 들어 여유가 생겼을 때 해도 되는 일도 많다. 특히 젊은 시절 너무 앞만 바라보며 일하느라 제대로 즐기지 못했던 취미 생활을 경제적으로 여유가 생긴 나중에 할 수도 있는 법이다. 아르헨티나에서 만난 50대 후반의 프랑스인 여의사는 춤추는 것을 좋아해

1년간 안식년을 가지고 남미를 돌며 춤을 배우러 다닌다고 했다. 아르헨티나에서는 탱고를, 쿠바에서는 살사를, 브라질에서는 삼바를 배우면서 몇 달씩 머물렀다. 그런 결단을 내리고 프랑스를 떠날 때 주변에서, 특히 서른이 다 된 자식들이 "엄마 미친 거 아냐? 왜 뒤늦게 춤바람이야?"하며 핀잔을 줬다고 한다. 하지만 그분은 이제야 진짜 살아 있다는 느낌이라면서 아예 병원에 사직서를 내고 계속 남미에 머무를 생각이라고 했다. 그래서인지 그녀에게서는 나이가 무색하리만큼 강렬한 에너지가 뿜어져 나왔다.

세계여행이나 댄서가 아닌, 지극히 현실적인 목표마저도 머나먼 별나라의 꿈처럼 아득하게 느껴질 때가 있다. 회사에서 능력에 차지 않는 단순한 업무만 할 때, 가족 중 누구 한 명이 빚보증을 잘못 서 가산을 탕진했다면 '서른 살에 과장이 되겠다' '마흔 살에 아파트를 장만하겠다' 같은 목표 또한 멀게만 느껴진다. 하지만 사람이 늘 하고 싶은 일만 하고 살 수는 없는 법. '피할 수 없으면 즐기라'는 말처럼 정말 싫지만 억지로라도 꼭 해야 할 일이 있다면 제대로 해버리고 다음 단계로 나아가는 편이 낫다.

예전 직장의 한 비서 분은 늘 깔끔한 옷차림에 프로페셔널한 이미지로 맡은 일을 똑부러지게 하는 스타일이었다. 내가 보기에 비서로 있기에는 아까운 인재였지만, 그녀는 늘 웃으면서 사람들에게 싹싹하게 대했다. 한번은 그녀와 점심을 먹으면서 어쩌면 불편할지도 모를 그 질문을 꺼냈다.

"사실 ○○씨는 학력으로 보나 경력으로 보나 비서로 있기는 좀 많이 아까운 것 같아요. 저 같으면 하루하루 내 능력을 충분히 발휘하지 못하는 것 같아 속상하고 많이 스트레스 받을 것 같은데 어쩜 그렇게 매일 즐겁게 일하세요?"

그러자 그녀는 빙긋 웃으며 대답했다.

"맞아요. 저도 처음부터 비서가 되고 싶은 것도 아니었고, 전에 다니던 회사에서는 애널리스트로 일했어요. 너무나 오고 싶은 회사인데 아무리 노력해도 관련 경력이 없어 겨우 잡은 기회가 비서 자리뿐이었죠. 사실 자존심 상하고 다른 사람들을 보면 나도 저 일을 잘할 수 있는데 하고 속상할 때도 많아요. 그렇지만 지금 비서라고 평생 비서라는 법 있나요? 이건 어디까지나 시작에 불과하니까 더 잘해야죠. 잘하면 잘할수록 좋은 기회가 주어질 거예요."

그녀 말이 옳았다. 윗사람들 보기에도 그녀는 비서로 있기엔 너무 아까운 인물이었기에 이벤트 매니저 자리가 나자 그녀에게 바로 제안했고, 이후 그녀는 세계를 종횡무진 누비며 큼직큼직한 행사들을 진행했다. 그녀가 비서라는 자리가 맘에 들지 않는다고 불평불만만 늘어놓았다면 있을 수 없는 일이었다.

따지고 보면 좋은 상황, 나쁜 상황이라는 것은 없다. 그저 그 상황을 우리가 긍정적으로 또는 부정적으로 해석할 뿐이다. 하기 싫은 일이 주어졌을 때 '왜 나만 이렇게 살아야 할까?' 괴로워하기만 하면 나아지는 게 없겠지만 '내가 진짜 좋아하는 일은 뭘까? 기왕

이 일을 하는 거 배울 수 있는 게 뭘까?'에 초점을 맞춰보면 자신의
에너지를 좀 더 긍정적인 방향으로 쓸 수 있지 않을까?

　병에 걸렸을 때 '왜 하필 나만……' 하면서 세상을 원망하고 자포
자기한 채로 생을 마감할 수도 있다. 반대로 그제야 생의 중요성을
깨닫고 하루를 1년처럼 밀도 있게 살고 건강관리에 힘써 남은 생을
더 의미있게 살 수도 있다. 가난을 부모 탓, 사회 탓으로 돌리며 평
생 가난하게 사는 사람도 있지만 그 절박함을 발판으로 부자가 되
는 사람도 있다. 똑같은 상황이라도 자신의 관점과 그 상황에 부여
하는 의미를 바꾼다면 인생이 180도 달라질 수 있는 것이다.

　어느 날 장자는 자신이 나비가 되어 훨훨 자유로이 날아다니는
꿈을 꾸었다. 잠을 깨고 생각해보니 내가 꿈을 꾸어 나비가 된 것
인지, 아니면 나비가 꿈을 꾸어 지금의 내가 되어 있는 것인지 모
를 일이었다. 장자의 만물일원론처럼 꿈과 현실은 별개가 아니라
꿈이 현실이 되고 현실이 꿈이 되며, 혹은 꿈과 현실을 동시에 이
룰 수 있다고 믿는다. 우리가 수많은 재능을 가지고 태어나 끊임
없이 꿈을 꾸며 그 재능을 바탕으로 꿈들을 하나하나 현실로 이룰
수 있다는 것은 지구별이라는 멋진 곳에서 태어난 인간만의 특권
이 아닐까.

오랫동안 꿈을 그리는 사람은
그 꿈을 닮아간다

비가 자주 오는 런던에 햇살이 비치면 사람들은 우중충한 옷을 벗어 던지고 공원에 가서 피크닉이나 선탠을 한다. 햇살이 찬란하게 비치던 어느 일요일, 집에 가만히 있을 수 없어 운동화를 신고 무작정 템스강을 따라 뛰었다. 리치몬드에 이르렀을 때 템스 강변에 정박된 보트들과 카약을 타고 노를 젓는 사람들, 강변에 앉아 맥주를 마시며 도란도란 이야기를 나누는 사람들의 모습이 아름답기 그지없었다.

카메라를 가져왔더라면 얼마나 좋았을까 하고 생각하고 있는데 그 풍경을 캔버스에 펼치고 있는 화가의 모습이 눈에 들어왔다. 주름이 지긋한 그는 베레모에 파이프 담배를 피우면서 열정적으로 붓을 움직였다. 마치 춤을 추듯 움직이는 붓이 춤사위를 벌일 때마다 색깔을 피워내는 것 같았다. 한참을 뒤에서 바라보고 있는데 그가 내 시선을 의식했는지 돌아보며 미소를 지었다.

"와우, 그림 멋진걸요? 나도 이런 재능이 있다면 얼마나 좋을까요?"

"왜 재능이 없다고 생각하죠?"

"음, 학교 다닐 때 미술 시간을 별로 좋아하지 않았어요. 그림이든 조각이든 만날 선생님이 정해준 준비물로 똑같이 만들라고 했었거든요. 가끔은 돈이 없어 준비물을 못 사가서 선생님께 혼났던 기억도 있고...... 그렇지만 언젠가 그림을 그려보고 싶다는 생각은 있어요."

"난 공무원으로 평생 일했고, 나이 60이 될 때까지 갤러리 한 번 가 본 적 없을 정도로 예술과는 거리가 먼 삶을 살았어요. 은퇴하고 적적해서 손자를 돌보던 중 같이 그림을 그리다 재미를 붙였고, 그때부터 본격적으로 그림을 그리기 시작했어요. 손자 스케치북 가져다가 쓰는 것이 쑥스러워 '화가로 제2의 삶을 살겠다'며 농담하곤 했는데, 벌써 5년이 지나 최근에 내 이름을 걸고 전시회를 가졌죠. 누구에게나 재능은 있어요. 단지 발견되지 않았을 뿐이지."

순간 망치로 머리를 한 대 맞은 듯한 느낌이었다. 아무리 봐도 영락없는 화가인 그에게서 공무원의 모습을 찾기는 힘들었다. 나 또한 비록 그림을 그려본 적은 없지만 언젠가 나만의 그림을 그려보겠다고 꿈 목록에도 적지 않았던가. 나도 모르게 "그래요, 저도 그림을 그릴 거예요. 저에게도 분명히 재능이 있을 거예요"라고 대답했다.

집으로 돌아오는 길에 그의 말이 자꾸 머릿속에 맴돌아 스케치북과 색연필 등을 사왔다. 초등학생이 그린 것처럼 단순하기 짝이 없고 그림이라기보다는 만화에 가까운 수준이지만, 조금씩 연습을 하다 보니 크리스마스카드도 직접 만들고 속지에 받는 사람의 캐리커처까지 그리는 정도는 되었다.

말은 사람의 사고를 지배한다. 그냥 한번 해본 말일지라도 어떤 말을 하느냐에 따라 불가능하다고 생각했던 것이 가능해지고 가능한 것이 불가능해진다. 어릴 적 "정치인, 재벌, 저 나쁜 놈들 때문에 우리가 이렇게 못사는 거야"같은 아버지의 원망을 들을 땐 세상엔 정말 나쁜 사람만 있는 것 같았다. 내가 대학에 가고 싶다고 하면 아버지는 "송충이는 솔잎을 먹고 살아야 돼"라며 당신도 공부를 잘했지만 현실이 녹록지 않아 중학교밖에 못 나왔다고 할 때는 대학이란 우리 같은 처지에 꿈도 못 꿔보는 것만 같았다.

늘 "우리 주변의 힘든 이웃이 바로 예수님이다"하시며 봉사활동을 다니던 엄마 주위의 세상은 더 암울했다. 시골 감나무집 할머니는 서울에 자식이 셋이나 있는데 다들 얼굴 한 번 보러오지 않고 돈도 안 보내 당뇨병에 걸렸어도 약도 못 쓰고 재래식 화장실이 무너져 볼일도 못 본다고 했다. 동네 한 아주머니는 남편과 사별하고 재혼한 남자가 아주머니의 모든 재산으로 사업을 시작했다가 망한 뒤 도망가서 공공요금조차 못 내고 전기와 수도가 끊겼다. 보험 영업하러 온 아주머니는 계속되는 남편의 구타로 얼굴에 멍이 가실 날이 없었다. 또 어떤 아주머니는 어느 날 갑자기 남편이 20대 여자와 바람나 이혼을 요구하는 바람에 화병이 났다고 했다.

물론 같은 하늘 아래 살아가는 불쌍한 이웃이고 분명 도움이 필요한 사람들이지만 그런 얘기를 들을 때면 어린 마음에도 세상이 참 암울하고 희망이 없는 곳, 부정부패, 비리, 폭력, 외도, 실패, 좌절로만 가득한 곳인 듯 느껴졌다. 마치 세상 사람들은 가해자와 피해자 두 종류만 있는 것 같았다. 친구들 집에 놀러 갔다가 유난히 긍정적이고 행복한 모습의 친구 부모님들을 보면, '저 사람들은 왜 행복하지?' 하고 놀라다가도 '분명히 우리 앞에서만 그럴 거야'라고 의심하곤 했다. 특히 부자들을 보면 분명히 뭔가 뒤가 구린 욕심쟁이거나 프롤레타리아 계층을 착취하는 부르주아들일 거라고 생각했다.

하지만 내가 만난 성공한 사람들은 내 상상과는 달랐다. 그들은 긍정적이고 자신감 넘치고 생각을 실천에 옮기며, 마치 세상 모든 행복과 성공을 자석처럼 계속 끌어당기는 것 같았다. 당연한 이야기지만 부정적이고 비관적인 사람들과 가까워지고 싶은 사람은 없지 않은가. 물론 현실에 만족하지 못하기에 더 나은 삶을 위해 계속해서 노력할 수도 있겠지만, 매사에 회의적이고 불평불만만 늘어놓으면서 행운이 찾아오기를 바란다면 어불성설일 것이다.

　행복이란 내가 원하는 게 무엇인지 알고 그것을 하는 게 아닐까? 똑같이 먼 거리를 걸어 우물에 가서 물을 길어 와도 양동이가 적다면 많은 물을 담을 수 없다. 반대로 양동이는 크지만 우물까지 가기 귀찮다고 하면서 많은 물을 길어 온 다른 사람을 질투한다면? 아무리 열심히 살아도 행복해지기를 바라지 않는다면, 반대로 바라는 것만 많고 노력하지 않는다면 행복할 수 없다.

　또 너무 불행에 익숙해져 불행만을 두려워하며 사는 사람들은 행복할 수 있는 기회가 와도 그게 행복인지 모르고 흘려보낸다. 마치 양동이에 구멍을 송송 뚫어놓아 애써 힘들게 길어온 행복이 다 새어나가게 하는 것이다. 자신의 에너지를 행복해지는 데 쓰지 않고 언젠가 다가올 불행을 걱정하는 데 쓰는 것은 그 불행을 더욱 끌어당기는 결과를 초래한다.

　좋은 것만 보고 들으면서 행복한 사람들과 성공한 사람들, 닮고 싶은 사람들과 가까이 지내는 속에서 배우고 희망을 가져도 부족한 것 아닌가. 행복과 불행은 마치 중력과도 같아서 한번 그쪽으로 갈수록 자꾸만 더 당겨지는 것이니, 기왕이면 행복과 가까운 쪽으로 가야 한다. 불행하고 실패한 사람들의 이야기를 들을수록 용기를 내서 하고 싶은 일을 하기란 더 어려워진다. 그들은 자신이 실패했으니 남들도 실패할 것이라고 생각하며, '해봤자 안 될걸'이라는 말만 강하게 반복하니 말이다.

'말이 씨가 된다'고 살다 보면 생각지도 않게 마음속에 품었던 생각이나 우연히 내뱉은 말이 현실로 이루어져서 놀라는 경우가 많다. 수능 공부를 할 때 학비를 걱정하면서도 '어떻게든 되겠지'하고 생각하니 골든벨을 울리며 장학금을 받아 학비 걱정을 덜게 되었고, 수많은 대학 중에서 연세대를 간 것도 그랬다. 고등학교 때 수능을 준비하면서 사람들이 "네가 공부해봤자 얼마나 좋은 대학을 가겠다고 그러니" 하면서 핀잔을 줄 때마다 "전 연세대 갈 거예요!" 하고 대답하면 다들 비웃었다. 실제로 수시 모집 때는 서울대도 고려대도 아닌 연세대만 지원했고, 정시에서는 연세대와 서강대를 같이 지원했다. 서강대는 논술 시험 중 연습장에 글을 쓴 뒤 원고지 반쯤 옮겨적던 중 종이 울려 떨어졌고 연세대에 딱 붙어 선택의 여지(?)가 없었다. 내가 무슨 점쟁이도 아닌데 미래를 예측하기라도 했던 것일까?

전공으로 영문과를 선택할 때 '먹고살기 힘들면 번역이나 하지 뭐'라고 생각했던 것이 몇 년 뒤 현실이 되었고, 2004년 한 일간지 인터뷰에서 당시 대학생이던 내게 진로를 묻기에 아무 생각 없이 "나중에 골드만삭스 같은 투자은행에 들어가고 싶다"라고 한 것 역시 현실로 이루어졌다. 인터뷰 당시만 해도 정말 투자은행에 가고 싶다는 생각은 없었지만 왠지 으스대고 싶은 마음에서 그렇게 대답했다. 그런데 정말 골드만삭스에 자리가 났다는 소리를 듣자 '설마 나 같은 게 되려나' 하는 생각과 동시에 '그래도 골드만삭스에

들어가고 싶다고 인터뷰까지 했는데 시도는 해봐야 되지 않겠어?'
하는 생각에 지원해서 입사하게 되었다. 또한 대학내일 신문과의
인터뷰에서는 "졸업 후 영국에서 비즈니스를 배우고 싶다"라고 했
는데, 당시만 해도 막연했던 일이 현실이 될 줄이야.

이 책을 쓰게 된 것도 그렇다. 골든벨을 울린 이후 책을 쓰자는
제안을 많이 받았다. 그러나 대학교 1학년때부터 멘토가 되어준 김
찬호 교수님이 "예술 활동이 아닌 이상 저술 활동은 서른이 넘어서
해라"고 했는데, 이 책은 내가 딱 서른이 되었을 때 나왔다.

이렇듯 상상이 현실로 되는 과정은 가만히 있는데 산신령이 나
타나서 "금도끼 줄까, 은도끼 줄까"하고 뜬금없이 생기는 행운
이 아니라 신경언어 프로그래밍neuro-linguistic programming:
NLP이라고 해서 학문적으로도 검증이 되었다. NLP는 인간의 행동
에 직접적인 영향을 주는 신경 체계와 그 신경 체계에 영향을 주는
언어와의 상호 작용을 통해 무한한 잠재력을 개발하고, 목표 성취
와 태도 및 행동 변화까지 가능하게 한다. 자신이 어떤 모습으로 어
디서 무엇을 어떻게 하고 있을지 구체적인 상상을 해보는 것만으
로도 꿈이 현실에 가까워지는 일종의 자기최면인 것이다.

내 인도 친구 아티가 살아 있는 증거다. 인도에서도 히말라야 서
부 산기슭에 있는 히말짤 주 시골의 넉넉지 않은 집안에서 자란 아
티는 15년 가까이 오빠에게 맞으며 자랐다. 오랜 시간 폭력에 시달
리면서도 오빠의 협박이 두려워 아무에게도 이를 말하지 못했는데

나중에 부모님이 그 사실을 알고 나서도 오빠를 혼내지 않자 아티는 더욱 심한 배신감을 느꼈다.

TV 리포터의 꿈을 키워가던 열여덟 살 무렵, 아티의 아버지는 그녀를 나이가 한참이나 더 많은 남자에게 시집보내려고 했다. 아티는 그 결혼을 피해 어쩔 수 없이 무일푼으로 가출해 델리로 상경했고, 힘겹게 아르바이트를 해서 모은 돈으로 대학까지 마친 뒤 더 큰 세상을 보고 싶다는 생각으로 또다시 혼자 힘으로 영국에서 MBA를 마쳤다.

런던에서 상당한 연봉을 받으며 일하고 전 세계를 여행하며 더 바랄 것이 없는 삶을 살면서도, 아티는 뭔가 조금만 서운한 일이 있으면 걷잡을 수 없는 눈물을 쏟아내곤 했다. 그러던 중 경기 침체로 정리해고를 당하자, 아티는 우울증에 걸려 몸무게가 70킬로그램까지 불었다. 이렇게 살면 안 되겠다 싶던 그녀는 자신의 삶을 바꾸기 위해 무려 1,000만 원이라는 거금을 투자해 NLP 워크숍에 참가했다.

워크숍에서 치료사가 아티에게 최면을 걸 때마다 머릿속에 계속 떠오르는 풍경은 바로 오빠에게 맞는 모습이었다. 치료사의 충고대로 그녀가 마음속으로 오빠를 용서하자, 이후 툭하면 눈물을 흘리던 습관이 사라졌다. 워크숍을 마치며 그녀는 자신이 원하는 미래를 적어 내려갔다. '살을 빼서 3개월 후 유명 사진작가에게 화보 사진을 찍는다' '6개월 뒤 뭄바이로 가서 다시 리포터의 꿈에 도전한다' '마흔 살에는 고향에 멋진 스파를 짓는다' 등을 적었다.

이후 3개월간 그녀의 삶은 다이어트가 전부였다. 같이 살던 단짝 친구들이 계속 기름진 음식으로 그녀를 유혹하자 아예 이사를 가 혼자 살면서 다이어트를 했다. 그리고 3개월 뒤 정확히 47킬로그램의 몸을 만들어 편한 삶이 보장된 런던을 떠나 아는 사람 한 명 없는 뭄바이로 갔다. 인도 최고의 패션 사진작가에게서 멋진 포트폴리오를 만들었고, 3개월 뒤 처음으로 TV에 출연했다. 스물아홉의 나이로 인도 MTV에서 진행하는 VJ 선발대회에 참가해 8,000명의 경쟁자를 제치고 최종 25명에 들었다. 한편 나중에 스파를 짓기 위해 영국에서 벌어 온 돈으로 고향에 땅을 샀다.

아티에 대해 잘 모를 때는 그녀가 인도의 상류층 딸인 줄 알았다. 온갖 명품으로 치장한 듯한 화려한 외모와 패션 센스 때문이었는데 알고 보니 명품이 아닌 저렴한 브랜드였지만 그녀가 훌륭히 소화한 까닭이었다. 그녀는 스스로 '나는 아름답고 성공하며 당당한 여자'라고 암시를 건다고 했다. 하다못해 슈퍼마켓을 가더라도 예쁘게 차려 입고 가서 사람들의 시선을 즐기는 그녀의 당당함이 싸구려 액세서리도 명품처럼 보이게 만드는 것이었다.

나는 한때 사주, 관상, 점성술, 심지어 잉카 주술사까지 찾아가 불투명한 미래를 점치려고 했다. 하지만 그 미래를 조종하는 것은 내 자신 속에 있음을 깨달았다. 사람들이 종교에 의존해 기도를 해서 원하는 바를 얻고자 할 때, 사실 그 기도는 자기 자신에 대한 최면이 되어 이룰 수 있다는 확신으로 굳어진다는 것이 나의 지론이다.

힌두교에서는 신은 하늘에도 있지만 우리 개개인 역시 신이라고 가르친다. 세상 모든 질문에 대한 답도, 우리가 원하는 삶을 이룰 수 있는 능력도 내 안에 있다. 도저히 풀 수 없을 만큼 엉켜 있는 삶의 문제들을 하나둘씩 풀어나갈 수 있는 힘도 다른 누구도 아닌 나 자신에게 있는 것이다.

자기 최면을 통해 이상적인 삶을 상상하는 것이 너무 거창하다면, 이상적인 하루를 상상해보는 것은 어떨까. 이는 내게 큰 도움이 된 〈꿈꾸는 스무 살을 위한 101가지 작은 습관〉이라는 책에 나오는 방법으로 아침에 눈을 뜨는 순간부터 잠자리에 들 때까지 자신을 행복하게 만드는 것들로 가득한 하루를 떠올려보는 것이다.

2010년에 썼던 나의 이상적인 하루는 이랬다. 아침에 눈을 뜨면 집 앞 해변에서 요가를 하는 것으로 하루를 시작한다. 신선한 망고 스무디를 한잔 마시고 과일과 그래놀라가 듬뿍 담긴 요거트를 먹으며 신문을 본 후 아침에 업무를 본다. 그간 내가 일궈온 사업에서 이제 한 발짝 물러나 직접 경영은 안 하지만, 핵심 주주이자 고문으로서 경영진과 화상 통화를 하며 회사 경영에 결정적인 조언을 하는 것이다.

점심은 가지, 피망, 호박 등을 그릴에 굽고 선드라이 토마토와 올리브, 페타치즈 등을 곁들인 지중해식 식단이다. 점심을 먹고 나서는 스튜디오에서 작업을 하다가 잠깐 낮잠을 청한 뒤 글을 쓴다. 해질녘에는 해변을 따라 조깅을 갔다 와서 샤워를 하고 시내로 나가 친구들과 함께 초밥을 먹으며 수다를 떤 뒤 나의 무대로 향한다. 뮤지컬이나 춤 공연을 마치고 집으로 돌아와서 와인 한 잔과 함께 반신욕을 하고 남편과 대화를 나누거나 책을 읽다가 잠이 든다.

이번에 개정판을 준비하며 깜짝 놀랐다. 몇 년 전 내가 상상했던 이상적인 하루가 현실이 되었기 때문이다. 요가로 하루를 시작하고 (요가강사자격증을 2011년에 땄다), 과일과 채소도 듬뿍 먹고, 조깅도 하고 뮤지컬도 배웠으며 탱고도 추고 재즈바에서 공연도 했다. 규모는 작지만 내가 만든 회사도 있고, 직원과 메시지나 통화로 업무 진행 상황을 확인하지만 실무에는 거의 관여하지 않는다. 족욕을 하며 책을 읽다가 잠이 든다. 아쉽게도 해변 주택은 아직 없지만 말이다.

그럼 이제 나의 새로운 이상적인 하루를 상상해볼까?

완전히 깜깜하지도, 그렇다고 아주 밝지도 않은 새벽, 눈을 뜨면 나만의 공간에서 초와 향을 피우고 요가와 명상을 한다. 깊은 호흡에 우주가 들어오고 나간다. 몸의 세포 하나하나, 영혼의 한없이 깊은 곳까지 정화되는 느낌이다. 고요한 행복을 만끽하며 오늘 나에게 주어진 하루에 감사한다.

아침 해가 떠오르면 클래식 라디오를 틀어놓고 사랑하는 사람과 함께 향기로운 커피를 마신다. 아이들의 볼에 뽀뽀하며 다시 한 번 내가 사랑하는 사람들의 존재에 감사한다. 온 가족이 함께 아침을 먹으며 즐거운 이야기가 끊이지 않는다.

아침에는 사람들에게 삶과 행복에 관한 다양한 화두를 던진다. 눈빛이 반짝이며 수많은 생각과 경험들이 오간다. 중간중간 명상도 하고 강연의 마무리는 허그로.

제자들과 함께 점심을 먹은 후 오늘의 사무실로 향한다. 이메일을 열어보니 전 세계 곳곳에서 그동안 내가 함께한 프로젝트 관련 소식이 밀려온다. 업무를 마치고 독서를 하다 잠깐 낮잠을 청한 다음 작업실에서 예술 작업을 한다. 노을이 질 무렵에는 산책을 간다.

집으로 돌아와 가족과 함께 텃밭에서 채소를 따 저녁 식사를 준비하고 반가운 손님들과 저녁을 먹으며 수다를 떤다. 손님들이 가고 나면 아이들에게 동화를 읽어주고 감사일기를 함께 쓴다. 반신욕을 하고 남편과 굿나잇 키스를 하며 잠든다.

〈10년 후〉의 작가 그레그 레이드는 "꿈을 날짜와 함께 적어놓으면 목표가 되고, 목표를 잘게 나누면 계획이 된다. 계획을 실행에 옮기면 꿈이 현실이 된다"라고 했다. 머릿속에 담아둔 생각을 글로 써두면 자신과의 약속이 되고, 의식적으로 그 약속을 지키기 위해 노력하게 되는 것이다. 이렇듯 말에는 힘이 있다. 그리고 글에는 더욱 큰 힘이 있다. 그러니까 지금 당장 자신의 꿈을 상상하고, 사람들에게 당당하게 말하고, 구체적인 계획을 글로 써보면 어떨까.

미움도 두려움도
공기처럼 날려 보내리

새벽 5시, 음악인지 기도인지 알 수 없는 흥얼거림이 저 멀리 숲
속에서부터 새벽하늘에 아득히 퍼져나간다. 5시 20분, 기상을 알리
는 종이 댕댕 울리고 사람들이 하나둘씩 일어나며 도미토리는 어
느덧 양치질하는 소리와 세수하는 소리로 분주해진다.

인도 케랄라 주에 있는 아슈람. 요가 5년차가 되면서 요가를 제
대로 배우고 싶다는 바람과 더불어 몸과 마음을 해독하고 싶다는
생각에 아슈람에 가겠다는 꿈을 키우다 인도에서도 거의 최남단에
가까운 이 먼 곳까지 오게 되었다.

아침 6시, 명상과 염불 그리고 이런저런 좋은 이야기를 나누는
삿상satsang이 시작된다. 가부좌를 틀고 애써 생각을 비우며 명상

을 하려 하지만, 까맣게 잊고 있었던 과거의 순간순간이 영화처럼 펼쳐진다. 20분쯤 지났을까, 고대 인도어인 산스크리트어로 된 염불이 시작된다. 만트라(소리의 울림에서 생겨나는 신비한 에너지) 덕분일까, 흐트러진 마음이 한군데로 모인다.

자야가네샤 자야가네샤 자야가네샤 빠히만
스리가네샤 스리가네샤 스리가네샤 락샤만

소년의 손엔 돌이 들려 있었다. 과테말라 세묵 참페이 계곡을 내려오는 길, 다섯 살 정도로 보이는 남자아이가 우리더러 자기 사진을 찍고 돈을 달라고 했다. 귀엽기는커녕 땟물이 줄줄 흐르는 이 아이의 사진을 왜 찍는단 말인가. 아마도 예전에 이곳을 다녀간 관광객들이 가난의 상징과 같은 아이들의 차림새를 보고 사진을 찍은 뒤 돈을 주었나 보다. 무시하고 가려는데 그 아이가 돌을 들었다. 눈에는 분노가 가득했다. 무엇이 저 어린아이를 이토록 뒤틀리게 만들었을까.

샤바라바나바바 샤바라바나바바 샤바라바나바바 빠히만
수쁘라마냐 수쁘라마냐 수쁘라마냐 락샤만

아이의 눈에 가득 찬 분노는 열일곱 살의 내 눈에도 고스란히 담겨 있었다. 세상이 원망스러웠기에 건수만 생기면 시비를 걸었다. 학교 내에서 위험하게 운전하는 집배원 아저씨를 우체국 웹사이트에 고발해 시말서를 쓰게 하는가 하면, 컴퓨터 수리가 지연됐다고 전화를 걸어 30분을 따져대곤 했다. 그렇다고 내 속이 시원해지는 것도 아니었다. 그렇게 악다구니를 쓰는 것보다 위트 있는 한마디와 애교로 상황을 긍정적으로 바꿀 수도 있는데 아까운 에너지를 낭비했던 이유는 나 자신에 대한 불만 때문이었다.

위축된 자아를 그런 식으로 회복하려고 했지만 그럴수록 상황은 악화되었다. 대학교에 들어가서 많이 나아졌지만 그래도 조금만 내 뜻대로 되지 않으면 종종 히스테리를 부렸다. '나는 문제없어'라고 씩씩하게 살면서도 마음 한구석엔 세상을 원망하고 별것 아닌 것에 화를 내며 억울해하고 분해하면서.

자야 사라스와띠 자야 사라스와띠 자야 사라스와띠 빠히만
스리 사라스와띠 스리 사라스와띠 스리 사라스와띠 락샤만

"엄마는 왜 날 이렇게 낳았어! 키는 작고 머리는 크고 돼지털 곱슬머리에다가 눈은 짝짝이에 뻐드렁니까지……"

동생들은 '또 시작이구만' 하는 표정으로 슬금슬금 방을 나갔고, 엄마는 나를 멍하니 쳐다보며 아무 말도 하지 않았다. 화가 극에 달하면서 손에 쥐고 있던 거울을 깨뜨려버렸다. 산산조각 난 거울에

비친 일그러진 내 모습은 더욱 흉해 보였다. 열일곱 살, 꿈도 희망도 없던 시절의 나는 한없이 뒤틀려 있었다.

다음 날, 학교에 가지 않고 기차역으로 가 다음 기차를 탔다. 가출할 생각은 아니었지만 도저히 내게 주어진 또 다른 일상의 하루를 견딜 수 없었다. 온갖 사고를 치고 가출을 하고 자퇴까지 한 뒤 정신을 차리고 집에 돌아왔지만 달라진 것은 없었다. 가난도, 아버지의 술주정도, 사람들의 시선도, 엄마의 눈물도 그대로였다. 상고생이라는 꼬리표가 하나 더 달렸을 뿐이었다. 꿈이 없었던 열일곱 살, 그 모든 것보다 견딜 수 없었던 건 미래가 보이지 않는다는 점이었다.

옴 나모 나라야나야 옴 나모 나라야나야
옴 나모 나라야나야 옴 나모 나라야나야

아이는 돌을 던지고 우리를 욕하기 시작했다. 짜증이 나서 아이를 혼내려는데 같이 여행하던 친구 벤자민이 나를 저지하더니 저 아이에게 카메라를 건네보라고 했다.

"카메라 들고 도망가면 어떡해? 저렇게 공격적으로 나오는 아이라면 충분히 그럴 것 같은데."

"혹시 그러면 내가 카메라 사줄게. 날 믿어봐. 우리는 어쩜 저 아이가 세상을 바라보는 시각을 완전히 바꿀 수도 있어."

못 미더워하며 카메라를 건네자 벤자민은 아이에게 다가가 말을
걸었다.

"네 사진도 좋지만 우리 사진 한 장 찍어주지 않을래? 우리 좋은
친구인데 같이 사진 한 장 남기고 싶거든."

순간 아이의 눈은 커다래졌고 표정은 호기심과 설렘으로 바뀌었
다. 늘 관광객에게 사진을 찍히기만 했지 카메라를 직접 만져본 적
이 없던 아이의 손이 바르르 떨렸고, 몇 번 엉뚱한 버튼을 눌렀지만
마침내 근사한 사진을 찍어주었다.

스크린으로 자신이 찍은 사진을 보여주자 아이의 표정은 감동
으로 바뀌었다. 카메라를 찍는 사람은 본 적이 있지만, 자기 손으로
이렇게 사진을 찍은 경험은 처음인 듯 했다. 아이는 몇 분 전까지만
해도 우리에게 돌을 던지려고 했던 것을 까맣게 잊었는지 어쩔 줄
몰라 하며 고맙다는 인사를 몇 번이나 했다. 돌아가는 길에도 아쉬
운 듯 계속 우리를 돌아보았다.

"어떻게 그런 생각을 할 수 있었던 거지?"

"아이들의 마음은 백지처럼 깨끗한데 몇몇 잘못된 관광객들이
사진을 찍어보겠다며 저 아이를 하나의 대상으로 만들었어. 그 돈
몇 푼에 저 아이는 자기 스스로를 그런 비굴한 존재로 인식하게 됐
고 돈을 주지 않는 우리를 원망한 거지. 이제 저 아이는 돌아가서
두고두고 친구들에게 자랑을 하겠지? 카메라를 직접 만져서 사진
을 찍어보았다고. 그리고 앞으로는 우리 같은 외국인을 보면 구걸

을 하기보다는 당당하게 자기가 사진을 찍어주겠다고 할 거야. 그렇게 인생을 바라 보는 시각도 긍정적이고 능동적으로 바뀔 테고, 그 결과로 아이의 인생도 바뀔 거야."

옴 나마 시바야 옴 나마 시바야 옴 나마 시바야
옴 나마 시바야 옴 나마 시바야 옴 나마 시바야

염불이 끝나고 아슈람의 구루가 입을 열었다.
"누군가를 미워한다면 그 사람을 측은히 여기고 좋아해 보려고 애쓰고, 하고자 하는 일에 자꾸 의심이 생기고 망설이게 된다면 긍정적인 확신을 갖고 자신감을 가져라. 자꾸 욕심이 생긴다면 베풀어라. 쉽지 않지만 자꾸 머릿속으로 되뇌며 뇌를 다시 프로그래밍해라."
내 머릿속에 스쳐가는 생각들을 꿰뚫어보기라도 한 것일까. 나는 어쩌면 애꿎은 관광객에게 돈을 주지 않는다며 돌을 던지던 그 아이에게서 내 모습을 보고 있었는지도 모른다. 내가 처한 현실과 그 현실을 당장 바꿀 수 없는 내 자신이 미워서 다른 사람들을 미워했다.
내가 계속해서 문제를 일으키고 반항하는데 중학교 선생님들이라고 나를 예뻐할 리 없었고, 혼자 대학에 가겠다며 같은 동급생 친구들과 고등학교 선생님들의 입장은 생각도 않고 그들이 나를 배려하지 않는다며 원망만 하니 왕따라는 결과를 낳은 것이다. 재무 부서에 배치되었을 때는 적성에 맞지 않는다고 몇 달째 해보려는 의욕도 보이지 않은 채, 나더러 무능하다고 한 직장 상사를 트레이닝도 제대로 시켜주지 않았다며 되레 원망했다. 나는 늘 내 입장에서만 생각했고, 나 자신이 변하지 않으면서 그들이 변하지 않는다고 비판만 했다.

내가 남들을 미워하고 세상을 원망하면 할수록 불행과 고통이 되돌아왔다. 당연한 결과다. 내가 세상을 저주하는데 세상이 내게 축복을 내릴 리가 없지 않은가. 그러나 내 마음이 감사와 겸허로 채워지면서 엉켜 있던 실타래가 풀리듯 세상일이 하나둘씩 풀리기 시작했고, 전혀 생각지도 못했던 훨씬 더 멋진 삶을 살기 시작했다.

스리 라암 자야 라암 자야 자야 라암 옴
스리 라암 자야 라암 자야 자야 라암 옴

사흘째, 아슈람의 스와미지(스님)가 "세상에 '내 것'은 없다. 잠시 내 손을 스쳐 지나가는 것일 뿐"이라고 하는 말씀에 부모님 집을 짓기 위한 땅을 사기로 결심했다. 집을 사드리기로 진작 결정했지만 주택을 살 것인지 아파트를 살 것인지, 아니면 땅을 사서 집을 지을 것인지를 놓고 2년간 고민했다. 이리저리 알아보고 몇 번이나 살 뻔했지만 무산되면서 고착 상태에 빠져 있었는데, 성당 근처만을 고집하는 엄마를 타박하면서 수없이 싸우는 사이 점찍어둔 곳의 땅값만 올라버렸다. 그럼에도 결정을 못 내린 이유는 3년간 모아둔 돈을 모두 쏟아 붓는다는 부담감뿐 아니라 '혹시나 뭐가 잘못돼서 대출금을 못 갚으면 어떡해'하는 두려움 때문이었다.

하지만 나는 다시 생각하기로 했다. 젊고 건강하며 유능한 내가 두려울 이유가 뭐 있는가? 지금보다 훨씬 더 잘되면 모를까 잘못될 이유가 어디 있단 말인가. 돈 싸들고 죽을 것도 아닌데 그놈의 돈이 뭐라고 좋은 의도로 시작한 일에 서로 속만 상하게 상처를 주었단 말인가. 설령 그 돈을 다 잃는다 해도 배낭 하나만 들고 전 세계를 여행하며 행복하게 지내온 나인데 무슨 부귀영화를 누리겠다고. 돈은 다시 벌면 되지만 부모님이 살아 계시는 것은 유한하니까 오늘 하루라도 부모님이 행복해하신다면 그깟 돈 따위는 아깝지 않다고 결론을 내렸다.

삿상이 끝나면 차이를 한잔 마신 뒤 요가 운동인 아사나가 시작된다. 그리고 모든 수행자에게 행동으로 실천하는 요가인 카르마요가 업무가 주어지는데, 나는 화장실 청소를 맡았다. 처음에는 '휴가까지 와서 일을 해야 돼? 그것도 하필 청소?' 하고 생각했다.

그러나 청소를 하면서 엄마 생각이 났다. IMF 때부터 10년 넘게 시장에서 청소를 해온 엄마. 과일과 채소 썩어가는 냄새, 생선 냄새, 사람의 오물 냄새가 진동하는 시장에서 아무 말 없이 묵묵히 청소하면서도 받는 돈은 한 달에 겨우 35만원. 그 돈 드릴테니까 제발 청소 일 좀 그만두라고 애원해도 소용이 없었다.

"아무리 냄새나고 별 볼일 없는 일이라도 이게 내 일이고 삶의 보람이야. 내가 번 돈으로 네 동생들 학비도 보태고 우리보다 더 어려운 사람들도 도왔어. 할 수 있을 때까지 계속 이 일을 할 거야"라던 엄마는 청소 중 미끄러져 허리를 다쳤고 한 달간 병원 신세를 지면서 그 일을 그만두어야 했다. 그렇게 힘들게 살아온 엄마 생각을 하니, 하루 2시간의 노동으로라도 아슈람 공동체에 기여할 수 있다는 데 보람을 느꼈다.

아슈람의 닷새째, 매우 인자해 보이는 미소와 하얀 턱수염을 가진 수렌이라는 이름의 할아버지와 친해졌다. 나는 늘 나이 드신 분들을 만날 때마다 살면서 가장 후회하는 것이 무엇이냐는 질문을 한다. 수렌 할아버지는 "살면서 충분히 웃지 않은 것"이라고 답했다. 36년간 해군에서 복무하면서 웃거나 울고 싶을 때 그러질 못하고 늘 근엄한 표정을 유지하며 경직된 삶을 살아왔다는 것이다. 은퇴한 지금은 델리에서 구걸을 하는 거리의 아이들에게 글과 산수를 가르쳐주면서 천진난만한 아이들과 함께 시간을 보내며 실컷 웃으며 지낸다고 했다. 할아버지의 그 말에 나는 치아 교정을 결심했다. 남들은 잘 모르지만 나는 튀어나온 앞니와 뻐드렁니가 콤플렉스라 활짝 웃지를 못했는데, 남은 인생 실컷 웃을 수 있도록, 또한 엄마에게 왜 나를 이렇게 낳았냐고 타박하는 일이 없도록 말이다.

오후에는 운동, 식생활, 휴가, 명상, 호흡 그리고 아유베다 등 매일 다른 주제의 강연이 열린다. 그 후 또다시 2시간 반의 아사나 이후 저녁식사가 이어진다. 다같이 침묵 속에 일렬로 바닥에 앉아 수저도 없이 손으로 채식 식단의 간단한 음식을 감사히 먹는다. 하루에 식사 두 끼라 다음 끼니까지 터울이 너무 길어 굳이 배가 고프지도 않으면서 음식을 더 달라고 하는 내 자신을 보며 또 다른 과거의 기억이 떠오른다.

고기가 귀했던 시절, 엄마가 가끔씩 돼지고기를 듬성듬성 썰어 넣은 김치찌개라도 내오면 냄비 속에서는 득달같이 4개의 숟가락 전쟁이 일어났다. 승부욕이 강했던 나는 다른 형제들이 가로채기 전에 조금이나마 더 먹으려고 입속의 돼지고기를 제대로 씹지도 않고 꿀꺽 삼키곤 했다. 그때의 습관이 아직까지 남아있어 음식을 빨리 먹고 배가 고프지 않아도 꼭 음식을 먹어야 한다는 강박관념에 시달리는 탓에 몸무게가 65킬로그램까지 나가곤 했다.

그 생각이 떠오르자 음식을 더 달라고 하지 않았다. 곧 배가 고파졌지만 며칠 내로 적응이 되었다. 어린 시절, 내가 고팠던 것은 음식이 아니라 사랑이 아니었을까? 여러 형제들 사이에서 부모님의 애정을 놓고 경쟁을 했던 어린 나는 음식으로 그 부족함을 채우려 한 것이다. 필요한 만큼만 먹어도 되는 것을 남에게 뺏길까봐 굳이 더 가지려고 하는 욕심을 비워내자 내 몸과 마음이 가벼워졌다.

이레째 저녁 명상 중 갑자기 눈물이 주체할 수 없을 만큼 흐르기 시작했다. 슬프지도 기쁘지도 않은데 아무런 감정의 동요 없이 이유도 모른채 눈물이 뺨을 타고 주룩주룩 흘러내렸고, 잠시 후 나는 깨달았다. 내 마음 한구석 오랫동안 꽁꽁 숨겨놓았던 삶의 미움과 두려움과 고통과 죄의식과 분노와 집착이 한 겹 한 겹 벗겨져 공기에 흩어졌다는 것을. 나는 깃털처럼 가볍고 자유로워졌다. 이제 무념무상의 상태로 명상과 요가에 집중할 수 있었다.

옴 샨티 샨티 샨티

인도를 떠나는 날 뭄바이공항의 포스터에 쓰인 간디의 명언이 내 시선을 사로잡았다.

"내 글은 어느 누구를 향한 미움으로부터 자유로울 수밖에 없다. 이 지구를 지속시키는 것은 사랑이라고 강력히 믿기에. My writings cannot but be free from hatred towards any individual because it is my firm belief that it is love that sustains the earth."

나는 양손을 모으고 고개를 숙이며 낮은 목소리로 "나마스테" 하고 감사인사를 하며 인도를 떠났다. 한 번뿐인 이 지구에서의 삶, 나 자신 그리고 모든 사람을 사랑하겠다고 다짐하며.

|

가지 않은 길도
표지판을 세우면 길이 된다

|

지구 반대편 파타고니아에서 혼자 산을 타다가 길을 잃은 적이
있다. 갑자기 사람 한 명 보이지 않는 이 지구 한구석에서 고립되었
다고 느낀 그 순간의 공포란 이루 말로 표현할 수 없었다. 어느 길
로 가야할 지 막막했고, 사람의 발자국 비슷한 것만 보이면 그렇게
반가울 수 없었다. 그렇게 한참을 빙빙 헤매다가 다시 원점으로 돌
아왔고, 사람들이 밟아놓은 길과 표지판을 보고서야 정상에 오를
수 있었다. 그런데 놀랍게도 정상으로 가는 길에 내가 아까 헤매던
곳이 슬며시 보였고, 그 길이 조금 더 가파르지만 지름길임을 알게
되었다. 그냥 조금만 용기를 내어 나아갔으면 되었을 것을, 그 길을
앞서 지나간 사람들의 흔적이 보이질 않고 표지판이 없다는 이유

로 방향성을 상실했던 것이다.

그때의 경험은 내 지나온 과거를 돌아보는 계기가 되었다. '내가 했던 모든 실패와 시행착오들을 이미 경험한 누군가 내게 한마디 격려만 해주었더라도 좀 더 현명하게 선택하고 처신할 수 있지 않았을까'하는 아쉬움이 들었다. 그러한 아쉬움은 여전히 어딘가에서 남들이 밟지 않은 길을 가거나 인생의 방향을 잃고 혼란스러워하는 이들을 위해 내 경험을 나누고 싶다는 열망으로 바뀌었다. 아무도 끌어주는 사람 없이 나 혼자 이렇게 맨땅에 헤딩하면서 여기까지 오며 온몸으로 깨달은 것들을 다른 사람들은 좀 더 쉽게 알 수 있도록 하고 싶었다. 내가 온 길을 다시 밟아 길을 내고, '다음 목적지까지 몇 킬로미터'라는 표지판을 만들고 싶었다.

그리하여 내가 방향을 잃고 헤매던 길을 다른 사람들은 굳이 헤매지 않길 바라는 마음에서 부끄럽지만 혼란과 시행착오로 가득했던 방황의 시간마저도 용기를 내어 드러내 보였다. 그렇기에 이 책은 치열하게 살아온 내 인생의 흔적과 그로부터 얻은 교훈의 기록임인 동시에 현재진행형인 내 삶에 대한 약속이기도 하다.

유대교에서는 자식을 낳지 않으면 사람을 가르치는 스승이 되라고 했고, 셰익스피어는 결국 죽을 몸, 책을 써서 이름을 남기든가 아이를 낳아 자손을 남기라며 유혹하는 소네트를 썼다. 그래서일까? 흔히 창작을 아이 낳는 것에 비유하곤 하는데, 내게 있어 이 책을 쓰는 과정은 명상과 치유에 가까웠다. 아슈람의 구루는 명상이란 자아를 겹겹이 싸고 있는 삶의 경험들을 한 겹 한 겹 벗어던지고 진정한 나 자신과 만나는 것이라고 했는데 이 책을 쓰는 과정이야말로 내가 살아온 삶의 겹겹을 벗겨내는 과정이었다. 구겨진 종이 같던 몸과 마음이 서서히 펴지면서 종이의 접힌 면에 쓰인 글씨들을 보게 된 것처럼 나라는 사람을 읽게 되었으니 말이다.

과거의 나 자신과 직면하고 이를 내 머릿속에서 벗어내는 과정은 때때로 아이를 낳는 것처럼 고통스러웠다. 그러나 이렇게 책을 쓰고 나니 나는 과거의 상처로부터 치유되어 있었고, 나 자신과 솔직한 대화를 나눌 수 있었다. 그래서 주변의 만류에도 불구하고 내 인생의 암흑기에 대해서도 떳떳이 적어 내려갈 수 있었다. 이 모든 것은 내가 살아온 과정이며, 그 시절이 있었기에 지금의 내가 그리고 미래의 내가 있는 것이니까.

이 책은 과거의 나 자신을 이해하고 현재의 행복을 만끽하며 미래의 꿈을 향해 나아가는 여정의 기록이다. 삶을 되돌아보고 거기서 얻은 깨달음을 책이라는 하나의 결과물로서 나 자신과 분리해내는 과정을 출산에 비유한다면 나는 아이를 낳는 것보다 키우는 것이 더 중요하다고 생각한다. 이 책이 그냥 출간되고 끝나는 것이 아니라 나와 독자의 삶 속에서 살아 숨쉬며 성장하는 아이처럼 소중한 꿈의 씨앗이 되기 바란다. 그리고 본문에서 밝힌 것처럼 나는 글의 힘을 믿는 만큼 나의 73가지 꿈을 계속해서 이루어나가며 당당하게 독자 여러분 앞에 서고 싶다. 그 꿈들 중 하나가 다른 사람에게 영감을 주는 것인만큼, 단 한 명이라도 진정으로 자신이 꿈꾸는 삶을 살아갈 수 있는 계기가 된다면 그것만으로도 나는 또 하나의 꿈을 이룬 것이다.

이 글을 읽는 모든 분이 그렇듯 내게는 이제까지 이뤄온 것들보다 앞으로 이룰 것이 너무도 많다. 이 책을 손에 들고 있는 당신과 나, 우리 서로 다독여주며 꿈의 목적지에 도착할 수 있도록 동반자 역할을 했으면 하는 것이 나의 작은 바람이다.

|

멈추지 마,
삶은 계속되니까

83개의 꿈 (2005~)

지난 15년간 나는 매년 꿈 목록을 업데이트해왔다. 그러다 보니 여러 꿈이 추가, 수정, 삭제되면서 현재는 83개의 꿈 목록을 가지고 있다. 꿈은 더 많아졌지만 카테고리는 13개에서 8개로 줄어들어 더욱 단순해졌다. 또 '와인 마스터하기'라는 꿈을 술에 흥미를 잃으며 지워버린 것처럼 더 이상 꿈이 아닌 항목들은 삭제했다.

2005년에는 성취, 모험에 가장 많은 꿈들이 있었는데 2019년에는 창조적인 삶, 공동체, 가족에 관련된 꿈이 많다. 물론 카테고리를 바꾸며 꿈을 재분류해서 그런 것도 있지만 시간이 흐를수록 개인적인 성취보다는 내가 사랑하는 사람들과 내가 속한 공동체를 생각하는 마음이 더 커졌기 때문이다.

꿈 목록을 쓴 2005년부터 80여 개국을 다니며 72개의 꿈에 도전했다. 물론 그 목록만 계속 쳐다보며 '다음은 이걸 해야 해!' 하면서 살아온 것은 아니다. 하지만 마치 신발을 사러 가는 날엔 다른 사람 신발만 눈에 들어오듯 꿈 목록을 쓴 이후 내 눈에는 꿈을 이룰 수 있는 기회들만 눈에 들어왔다. 그 전엔 온갖 불행과 고통만 보였는데 말이다. 세상은 달라진 게 없는데 내가 달라진 것이다.

이미 도전한 꿈들은 '성공' 아니면 '진행중'으로 분류했다. 예를 들어 '부모님 집 사 드리기'같은 꿈은 또 할 필요가 없기 때문에 '완료'의 의미로 '성공'이라 규정했고 '발리우드 영화 출연하기' 같은 경우는 더 도전하거나 기회가 또 찾아올 수도 있기에 '진행중'이라고 규정했다. 내 꿈 목록에 실패는 없다. 내가 정의하는 실패란 한 번 살짝 시도해보고 '안 되잖아'하고 포기하는 것을 말한다. 반대로 한번에 쉽게 이루어질 수 있는 것이라면 처음부터 꿈이라고 부르지도 말아야 한다. 그것은 '일상'이라고 부르는 것이니까.

꿈을 목표기한 내로 이루지 못한 경우도 있다. 원래 2015년에 목표했던 결혼을 2016년에 하게 되었는데, 원했던 시기에 되지 않을 경우 기한을 넉넉하게 수정했다. 꿈은 내 삶을 충만하게 만드는 도구이지 내가 꿈의 노예는 아니기 때문이다.

내 인생에서 가장 잘한 것은 바로 이 꿈 목록을 쓴 것이다. 세계를 무대로 한 그 큰 꿈들을 당시의 작고 초라한 현실의 크기에 맞춰 축소하지 않고, 현실을 꿈의 크기에 맞게 조금씩 넓혀가다 보니 10여 년에 걸쳐 어느덧 꿈과 현실의 크기가 동일해졌다. 꿈꾸는 것이 사치라고, 분수에 맞게 살아야 한다고 세뇌교육 받으며 자라왔고, 반지하방에 살던, 가진 건 빚 밖에 없는 가족을 둔 사실상 처녀가장이었음에도 불구하고 이 무모한 꿈들에 한번 도전해보겠다고 용기 내준 스물 다섯살의 나에게 감사를, 또 앞으로 더 찬란한 미래의 나에게도 찬사를 보낸다.

365일, 365개의 꿈을 만나다,
드림파노라마 프로젝트(2011~2012)

"전 세계 사람들은 무슨 꿈을 꾸고 그 꿈을 어떻게 이루며 살까?" 〈멈추지 마, 다시 꿈부터 써봐〉가 국내뿐만 아니라 중국, 대만, 태국에서 출간되고 아시아 각국의 독자들에게 이메일을 받으면서 떠오른 질문이었다. 나는 하루에 한 명씩, 365일간 세계를 여행하며 사람들의 꿈을 인터뷰해서 이를 다큐멘터리로 만들겠다는 '드림파노라마' 프로젝트를 기획했다. 돈이 없어 여러 회사의 문을 두드리며 후원을 요청했지만 다큐멘터리 감독이 아니라는 이유로, 방송국에서는 '일반인'이라는 이유로 거절당했다. 결국 조니워커 킵워킹펀드에서 1,500명과의 경쟁 끝에 최종 5인으로 선발되어 1억 원을 지원받았다.

회사를 떠나 1년간 25개국 92개 도시를 여행하며 365명을 인터뷰했다. 개중에는 중동의 왕족, 여러 국가의 유명 인사들도 있었고, 탈레반, 헤즈볼라와 같은 테러리스트, 아동 성폭행 피해자, 성대를 잃은 가수에 이르기까지 정말 다양한 사람들을 만났다. 이를 위해 뭄바이의 슬럼가, 팔레스타인 난민촌, 방콕의 사창가까지 전 세계 곳곳을 찾아다니는 와중에 소매치기도 당하고 낙타 300마리에 결혼 제안을 받기도 하고 공사현장에서 돌을 나르기도 했다. 그 과정에서 꿈이 이루어지기도 했다. 큰 테디베어 인형을 갖고 싶어하던 다섯 살 꼬마에게 옆 나라에서 정말 큰 테디베어가 배달되었고, 지하 스튜디오를 운영하며 자유를 꿈꾸던 이란의 커플은 전액 장학금을 받고 호주로 떠났다. '이 여인과 평생 함께 있는 것'이 꿈이라던 한 남자의 용감한 고백은 3개월 뒤 결혼으로 이어졌다. 섭씨 50도의 사막에서 5,000미터가 넘는 히말라야까지 펼쳐진 이 여정에서 만난 수많은 기적같은 삶들이 내게 알려주었다. 누구에게나 꿈이 있고, 그 꿈이 있어 오늘 하루가 달라진다는 것을. 그리고 이 지구는 꿈꿀 수 있어 아름다운 별이라는 것을.

드림파노라마
프로젝트

SBS스페셜
보기

이 1년의 여정은 다양한 형태로 기록되었다. 책 〈당신의 꿈은 무엇입니까〉 역시 전국 부대에 비치되고 여러 기관에서 추천도서로 선정된 것뿐만 아니라 대만과 중국에서 출간되는 등 많은 사람들의 사랑을 받았다. 2012년 SBS스페셜 〈나는 산다, 김수영의 꿈의 파노라마〉가 방영되고 '드림페스티벌'을 열어 5,000명과 함께 전시, 워크숍, 쇼를 통해 꿈을 나눴다. 이는 '꿈꾸는지구' 회사 설립으로 이어져 다양한 기관과 함께 드림워크숍과 드림캠프를 기획 및 진행하고, 꿈 어플과 대학생들의 꿈을 후원하는 공모전을 만들기도 했다. 그 후에 이와 유사한 형태의 TV프로그램인 KBS N 〈청춘하라〉의 고정 심사위원을 맡기도 했다.

거기서 나아가 유튜브 채널 김수영TV를 통해 사람들과 소통하고 인생내공 실전수업인 '김수영스쿨'을 만들었다. '진짜 꿈을 찾고 이루는 법', '경제적 시간적 자유를 얻는 법', '나를 사랑하고 너를 사랑하는 법', '인간관계와 멘탈관리'라는 네 개의 주제로 온오프라인으로 3,000여 명의 수강생을 배출했다.

김수영TV

김수영스쿨

22개국에서 108개의 사랑을 만나다,
러브파노라마 프로젝트(2013~2014)

"수영 씨는 지금 죽어도 여한이 없나요?"

그때였다, 전차처럼 앞만 보고 질주하던 나의 삶의 방향이 달라진 것이. 우연히 받은 이 질문은 내 가슴에 며칠간 맴돌았고 난 사랑을 하겠다고 결심했다. 그러나 뇌만큼 똑똑하지 않은 내 심장 때문에 나는 한없는 고통에 사로잡혔다. 결국 모든 것을 접고 다시 떠났다.

도대체 사랑이 무엇일까? 나는 아메리카, 아프리카, 오세아니아의 22개국을 돌아다니며 108개의 러브스토리를 수집했다. 건강한 자와 병자, 장애인과 비장애인, 동성애자와 이성애자, 일부일처제와 일부다처제, 나이와 국적, 인종, 종교와 같은 수많은 차이와 장벽에도 불구하고 이 지구상의 사람들은 사랑을 하고 있었다.

에이즈에 걸린 부인 곁을 지킨 남편, 아버지를 죽인 원수의 딸과 결혼한 청년, 40년 만에 첫사랑의 결실을 맺은 커플, 실패한 사랑으로 버림받은 아이들을 사랑으로 거둬들인 처녀 엄마, 상처 받는 것이 두려워 사랑을 거부하는 사랑불능자, 사랑과 집착을 혼동하는 사랑중독자, 상상할 수조차 없는 상황에서도 사랑의 열매를 피워내는 '사랑가'들. 지구에는 이토록 다양한 사랑이 있었다.

이 프로젝트를 마치고 나서도 나는 1년간 다양한 주제를 연구했다. 매력, 욕망, 유혹, 마음, 무의식, 섹스, 트라우마, 헌신, 이별,

결혼, 소통, 진화생물학 등등. 그 많은 이야기를 이 짧은 글에 다 담을 수는 없지만 확실한 것은 이것이다. 우리는 사랑하고 사랑받기 위해 존재하며 한 사람을 사랑한다는 것은 하나의 우주를 내 안에 받아들이는 것과 같다. 사랑을 시작하게 만드는 것은 '그래서'라는 단어이지만 사랑을 지속시키는 것은 '그럼에도 불구하고'라는 단어라는 것.

러브파노라마
프로젝트

개인적으로는 우연인지 운명인지 알 수 없는, 페루에서 우연히 받게 된 일종의 씻김굿을 통해 내 인생의 전환기를 마련했다. 이틀 동안 사경을 헤매며 영혼을 토해내는 고통 속에 나는 의식과 무의식의 바닥까지 나를 들여다보았고, 나를 이제까지 움직여온 원동력이 분노 에너지라는 것을 깨달았다. 태어났을 때부터 환영받지 못했던, 오히려 딸로 태어난 나 때문에 통곡을 해야 하는 엄마를 바라보며 갓난 아이로서 가졌던 억울함이 내가 세상을 바라보는 관점을 고착시켰다는 것도 알게 되었다. 부모이기에 앞서 사랑받고 싶었던 어린아이였던 그들을 이해하자 사랑을 부정해왔던 방어기제가 녹아내리면서 삼대에 걸쳐 대물림되어 온 불행의 고리를 끊을 수 있었다.

이후 한국에 돌아와 추가로 정신분석 상담을 받으며 나는 나 자신을 바라보는 관점을 달리할 수 있었다. 그 어떤 대단한 일을 하지 않아도, 그저 숨만 쉬고 있어도, 나는 존재 자체로 소중하고 사랑받을 자격이 있는 사람이라는 것을 깨닫게 된 것이다. 그렇게 내 안에 사랑이 충만해지자 이 세상을, 타인을 바라 보는 나의 시각 또한 바뀌었다. 누군가가 특별해서 사랑하는 게 아니라 사랑하기 때문에 특별한 존재가 된다는 것을. 그렇게 바라보면 이 세상에 사랑하지 못할 사람이 없음을.

그렇게 나 자신과의 관계가 바뀌자 타인과의 관계맺기도 쉬워졌고 한때 가장 어려웠던 사랑이 자연스럽고 편안해지며 지금의 남편을 만나 2016년 결혼했다. 결국 인간이 태어나 할 수 있는 가장 위대한 일은 아이를 낳고 키우는 것이라는 생각으로 오랜 준비 끝에 2018년에 엄마가 되었다. 아이를 만난 이후 예전에는 미처 몰랐던 새로운 차원의 행복을 느끼며 감사한 마음으로 하루하루를 보내고 있다.

지금 이 순간, 바로 여기

30년의 세월을 가시덤불 같은 현실 속에서 살았다. 가시에 찔려 피를 철철 흘리느니 가시덤불을 헤쳐보겠다고 칼을 들고 헤매다 마침내 시야가 맑아졌을 때 뒤에 오는 사람들에게 표지판을 만들어주고 싶었다. 그 마음을 담아 책을 쓴 결과 예상치 못하게 너무나 많은 분들의 사랑을 받았고, 여러 방송에 출연하고 전국을 돌아다니면서 강연을 했다. 잠깐이지만 내가 세상에서 제일 바쁜 사람이라고 착각한 적도 있을 정도로. 너무 어린 나이에, 내가 가진 그릇에 비해 넘치는 행운이 들어와 초심을 잃고 욕심과 아집에 휘둘려 건강과 사람을 잃은 적도 있었다. 내가 남들보다 앞서 있어서가 아니라, 누구보다 뒤처져서 시작했기에 주어지는 격려상 같은 행운이었다는 사실을 뒤늦게 깨달은 것이다.

초판의 추천사를 써준 김찬호 교수님은 출간 이전에 몇 번이나 조언했다. "나는 네가 반짝 스타처럼 나타났다 사라지는 존재가 아니라 인생 전체를 통해서 점점 심오한 삶의 진실을 발견하고 전해주는 인물이 되었으면 한다"라고. 나는 그 말의 의미를 여러 해가 지나서야 이해한 아둔한 제자였다.

마이너스 인생에서 플러스 인생이 되기까지 30년 가까이 걸렸고, 80개국을 돌아다니며 다른 사람이 평생에 걸쳐서 하기 힘든 경험을 지난 10년 동안 했다. 그리고 이제 사람들이 "수영 씨, 인생의 마지막 3분의 1을 보낼 곳 찾으셨어요?" "여러 나라 다녀보니까 어디가 제일 좋아요?"라고 물으면 나는 이렇게 답한다.

전 세계 좋은 곳을 다 다녀봤지만

내가 있는 지금 이곳이 가장 좋고,

산해진미 먹어봤지만

내가 만든 깨끗한 집밥이 가장 맛있고,

세계적으로 대단한 그 누구보다

내 곁에 있는 이가 가장 소중하고,

내가 하고 있는 이 일이 가장 즐겁다고.

요즘 나의 화두는 바로 행복이다. 전 세계 80개국을 다녀보니 완벽한 국가도, 완벽한 사회도, 완벽한 인간도 없었다. 아무리 천국 같은 곳에 있어도 내 마음이 지옥이면 그곳은 지옥이었다. 어떻게 인간이 저런 일을 겪고도 살 수 있을까 싶지만 행복하게 사는 사람도 있었고 저렇게 살면 얼마나 좋을까 싶지만 불행하다고 자살하는 사람도 있었다. 어디를 가야, 무슨 대단한 일을 해야 행복한 것도 아니었다. 지금 이 순간, 바로 여기에 감사하는 마음으로 존재하는 그 자체가 행복이었다.

이를 깨닫기까지는 오랜 시간이 걸렸고 그 과정에서 나는 '당연히 ~해야 하는데'라는 마음의 감옥에서 벗어날 수 있게 되었다. 부모라면 당연히 나를 위해 모든 것을 해줬어야 하는데, 모든 사람이 당연히 나를 좋아해야 하는데, 당연히 예쁘고 날씬해야 하는데, 당연히 공부도 잘하고 좋은 직장에 들어가 돈도 잘 벌어야 하는데, 그렇지 못하면 우리는 분노하고 좌절한다. 하지만 '부모가 날 낳아줬으면 됐지' '날 싫어하는 사람도 있고 나한테 관심 없는 사람도 있지' '돈? 잘 벌 때도 있고 못 벌 때도 있지'라는 태도로 상황을 부정적 해석 없이 있는 그대로만 받아들여도 우리는 마음의 평화를 찾을 수 있다. 불행의 반대는 행복이 아니라 다행이니까.

거기서 나아가 '살아 있어서 얼마나 감사한가!' 하는 긍정적 태도와 칭찬, 사랑의 말을 자기 자신과 타인들에게 나누면 우리는 훨씬 더 행복해질 수 있다. 스스로를 마음의 감옥에 가둘 건지, 해방시킬 것인지는 결국 자신의 몫이다.

노자는 말했다. 마음이 과거에 머물러 있으면 우울하고 미래에 가 있으면 불안할 수밖에 없다고. 봄은 봄이라서 좋고 여름은 여름이라서 좋다. 가을은 가을이라서 좋고 겨울은 겨울이라서 좋지 않은가?

꿈을 이루기 위해서 반드시 꿈 목록을 쓰라. 행복해지기 위해서는 감사일기를 쓰라. 억지로라도, 그날 감사한 일을 최소 5가지를 쓰라. 이 숙제를 둘 다 한 당신에게 선물을 드리겠다. 힘들 때나 기쁠 때나, 소중한 당신을 지켜줄 마법의 주문이다. 이 만트라를 매일 5번 이상 소리 내어 외치라. 그리고 당신의 삶이 달라지는 것을 체험하라.

나는 소중하다!
나는 아름답다!
나는 꿈을 이룬다!
나는 사랑한다!
나는 행복하다!
내 인생은 축복이다!

|

피자 배달부 소년,
사진작가 되다

제 삶은 불행뿐이었습니다. 가난한 소작농이었던 부모님이 밤낮으로 일해도 가난의 굴레는 벗어날 수 없었습니다. 농사가 폭삭 망했던 어느 해, 저희집은 결국 빚더미에 앉게 되었고 삶의 무게에 허덕였던 어머니는 술에 절어 툭하면 자살소동을 벌였습니다. 죽으러 간다며 산골짜기의 어둠속으로 사라지는 어머니를 "엄마, 엄마" 울면서 따라가기도 하고, 눈앞에서 자살시도를 하는 엄마를 지켜보거나, 농약을 마시고 병원으로 실려갔다는 전화에 가슴이 철렁하기도 했습니다. 제 삶에는 불행과 원망만이 가득했습니다.

중학교 진학 후 저는 걷잡을 수 없이 엇나갔습니다. 누구를 괴롭히진 않았지만 소위 말하는 일진들과 우르르 몰려다니며 술담배를 하고 집에 잘 안 들어가기도 했습니다. 그러다 한순간에 왕따가 되었습니다. 일진 친구들은 뒤늦게 낀 주제에 나댄다는 이유로 저를 때렸고 반 친구들 다 보는 앞에서 두들겨 맞을 때마다 수치심에 눈물만 펑펑 흘렸습니다. 학교를 가도 지옥, 집에 돌아가도 생지옥…. 자살이라는 단어가 머릿속을 떠나지 않았습니다.

지긋지긋한 집과 학교가 싫었던 저는 부모님의 반대를 무릅쓰고 서울로 전학을 왔습니다. 보증금 낼 돈이 없어 고시원에서 살면서 낮에는 학교에 가고 밤에는 피자 배달을 했습니다. 지옥같은 집을 벗어난 자유의 대가는 엄청난 외로움이었습니다. 추운 겨울, 따뜻한 집에서 피자를 건네받는 제 또래를 보면 얼마나 부럽고 서러웠는지 모릅니다. 시간이 흘러 홀로 논산훈련소로 향했습니다. 가족들의 배웅을 받는 다른 이들이 얼마나 부러웠던지… 우울한 기분으로 입대하고 며칠이 지났을 때, 저는 복도 책장에 꽂혀있는 한 책을 발견했습니다.

〈멈추지 마, 다시 꿈부터 써봐〉

처음에는 시간을 때울 요령으로 읽기 시작했는데, 한 페이지 한 페이지 넘길 때마다 심장이 미친듯이 쿵쾅댔고, 머리를 돌로 맞은 듯한 전율이 일어났습니다. '나보다 더한 불행을 겪었지만 이렇게 열심히 살아서 사람들에게 꿈을 전해주는 사람도 있구나'라는 생각에 제 멋대로 살아온 제 자신이 너무 초라하고 한심해 보였습니다. 매일밤 새벽 불침번 근무를 서며 지난 날을 돌이키며 반성하고 후회했습니다. 생각해보니, 제가 불행하다고 생각했던 것들 모두 전부 배울 점이 있었습니다.

지속적인 불행은 저를 단단하게 단련시켰고 부모님이 바쁘셔서 늘 혼자 밥을 먹었지만, 그 덕분에 자립심을 기를 수 있었습니다. 일진에서 왕따를 오갔던 경험을 통해 겉치레는 아무 실속이 없으며, 삶의 밑바닥이 얼마나 비참한지도 깨달았습니다. 혼자 서울에서 경험했던 시간 또한 세상을 넓게 볼 수 있게 해주었고 지독한 외로움 속에서도 살아갈 오기와 용기를 갖게 되었습니다. 불행하다고 치부했던 과거를 전부 "때문에"가 아니라 "덕분에"로 바꾸어 재해석했고, 세상 모든 일들엔 배울 점이 있으며, 불행했던 과거가 있기에 더 행복하게 살아야 한다고 마음먹었습니다.

부모님이 면회 오셨던 날, 저는 커다란 노트 두 권과 펜을 샀습니다. 거기에 제가 하고 싶은 것들을 하나씩 적으며 꼭 실천하겠노라 약속했습니다. 그렇게 작은 실천들이 모여 제 꿈이 하나둘씩 이루어지기 시작했습니다.

중학교 2학년 때부터 피워온 담배를 끊었고, 매일밤 12시까지 연등시간을 이용해 경제, 정치, 인문, 철학 등 100권의 책을 읽었습니다. 다섯 번의 실패 끝에 '군대에서 공모전 입상하기'의 꿈을 이루며 태어나서 처음으로 성취감을 느꼈습니다. 군대 생활이 끝날 무렵엔 노트 한 권에는 제 꿈들과 아이디어, 독서와 공부의 흔적으로 가득 채워져 있었습니다.

‘동남아 3개국 일주하기’라는 꿈을 이루기 위해 태국, 라오스, 베트남을 돌았고 ‘다른 나라를 오토바이로 횡단하기’의 꿈을 위해 베트남 하노이에서 호치민까지 오토바이로 1,800km를 달렸습니다. 사진 취미를 살려 사진작가로 일을 시작했고, 현재는 스냅사진 업체를 운영하며 어엿한 상업 사진작가로 ‘내 사업체 갖기’라는 꿈을 이뤘습니다. 또 광고회사에서 SNS 컨텐츠 촬영 및 제작을 하며 하고 싶은 일에 모두 도전하고 있습니다. 매일 아침 일찍 일어나 명상과 독서를 하고, 주식 투자, 부동산 경매 등 틈틈히 강의를 들으러 다니면서 배움도 멈추지 않고 있습니다.

이렇듯 제 삶은 과거와 180도 달라져 있고 이 변화의 시작은 〈멈추지 마, 다시 꿈부터 써봐〉입니다. 지금도 저는 삶에서 방향을 잃은 친구들에게 이책을 적극 추천하고 있습니다. 제 삶을 완전히 다르게 해석할 수 있게 해주신 김수영 작가님께 감사드립니다.

쌍둥이 자매의 운명을
영화처럼 바꾼 꿈 쓰기

22살의 우리는 열등감과 비교의식, 죄책감과 피해의식, 불안함과 우울함에 사로잡혀 하루하루를 버티듯 살아갔다. 이 책을 읽고 현실을 도피하고 싶은 마음에 함께 버킷리스트를 써 내려갔다. 적는 순간만큼은 살아 있는 느낌이었고 아주 먼 미래겠지만 희망이 조금 생기기도 했다. 하지만 '김수영 작가는 인생의 우여곡절이 많았으니 삶의 변화도 극적일 수 밖에. 난 인생의 큰 고난이 없으니 큰 변화도 없을거야.'라는 생각으로 버킷리스트를 잊고 살아갔다.

직장 생활을 하며 받은 스트레스는 병으로 나타났고 갑자기 쓰러지는 일이 잦아졌다. 의사는 스트레스가 원인이라 했고 결국 대학병원에서 두뇌부터 심장까지 검사를 받고 퇴사를 결심했다. 내일 당장 죽을지도 모른다는 걸 깨닫고 나자 버킷리스트를 시도해 보고 싶어졌다. 예전에 썼던 버킷리스트를 꺼내 꿈의 카테고리를 나누고, 생각나는 모든 것들을 목표 기한과 함께 적었다. 1/3은 김수영 작가의 꿈을 그대로 따라 적기도 했다.

그렇게 버킷리스트를 적은 후 우리에게 가장 큰 꿈이었던 세계여행을 떠나기로 결심했다. 드림캐처를 만들어 팔아보고, 뉴질랜드 워킹홀리데이를 하며 귤을 따고, 국제 쌍둥이 축제에 참가해 보기도 했다. 축제에서 우연히 만난 미국인 쌍둥이와 대화를 나누고 함께 여행하다 동시에 사랑에 빠져 쌍둥이 커플이 되었다. 버킷리스트에 적힌 '영화 같은 사랑하기'가 이루어진 순간이었다.

세계여행을 다녀온 후 돌아보니 버킷리스트에 적힌 꿈들이 많이 이루어졌다는 걸 깨닫고 놀랐다. 버킷리스트에 김수영 작가 사진과 함께 '27살에 꿈을 주제로 강연하기'라고 적었는데 둘이 함께 여행과 꿈을 주제로 많은 분들에게 우리의 이야기를 전하고 있다. 또한 '여행 다큐멘터리 제작하기'라는 꿈은 125:1의 경쟁률을 뚫고 유명 여행 프로그램 출연으로 현실화되었다.

작년부터 일어난 기적들은 하루하루 우리의 인생을 바꾸고 있다. 무엇보다도 나 자신을 진정으로 사랑할 줄 알게 되었고 마음의 평화와 안정을 느끼고 있다. 이제는 김수영 작가님이 했던 말들이 뭔지 알 것 같다.

꿈길을 가는 데 외롭고 지칠 때면 김수영 작가님의 책을 여러번

들춰보고 영상을 무한 반복 재생했다. 눈물이 나올 때는 "감사합니다"라고 외치며 지금 이 순간에 만족했다. 가난한 마인드에서 부자의 마인드로 변화할 수 있었던 이 여정의 시작점은 바로 〈멈추지마, 꿈부터 다시 써봐〉였다.

|

가족을 잃고 살아온
내가 이룬 가족사진의 꿈

제가 사랑하는 사람은 모두 제 곁을 떠났습니다. 부모님은 이혼하셨고 큰 누나와 작은 누나도 사고로 세상을 떠났습니다. 초등학교 1학년 때 아버지마저 간암으로 돌아가셨습니다. 절 사랑해 줄 사람은 제 삶에 없는 것 같았습니다. 마음의 근육이 없어 작은 시련에도 쉽게 상처받고 회복이 어려웠습니다. 군대라는 제한된 공간으로 가서는 '역시 난 아무 것도 못해'라는 생각으로 가득했었죠.

어느날 우연히 내무반 책장에서 〈멈추지 마, 다시 꿈부터 써봐〉를 발견했습니다. 나만큼이나 힘든 시절을 보낸 주인공이 나와 달리 꿈을 실천하면서 앞으로 나아가고 있다는 생각에 저도 그대로 따라해 보기로 하고 공책을 꺼내 펜대를 굴려봤어요. 막상 꿈을 적으려니 무엇부터 적어야 할지 막막했지만 하나씩 적다보니 어느새 148개의 꿈이 적혀 있었죠. 덕분에 꿈청년이라는 별명도 얻고 으뜸 병사도 될 수 있었습니다.

전역 후 꿈을 하나둘씩 이루었습니다. 1. 번지점프 2. 패러글라이딩 20. 시베리아 횡단열차 여행 21. 한 달에 2권 이상 책 읽기 33. 블로그로 소통하기 39. 인도 타지마할 방문 44. 연극 무대에 서기 70. 장학금 받기 84. 장기 기증 서약 86. 국토대장정 88. 국제행사 도우미 활동하기 104. 인도에서 정신 수양하기 112. 김치 담그기 125. 일본어 배우기 146. 강원도 대관령 양떼목장 여행하기 등등…

집안형편도 어렵고 성적도 좋지 않아 대학을 포기하고 싶었지만 2학년 2학기 때부터 졸업할 때까지 성적 우수 장학금을 받고 외부장학생에도 도전해 경제적인 여유도 얻었습니다. 형님 댁에 얹혀 사는게 눈치가 보여 도피하듯 해외봉사를 결정하고 1년 동안 인도에 갔고 그 곳에서 내가 가진 것들의 소중함을 알게 되었습니다. 특히 그동안 저를 뒷바라지 하느라 힘들었던 형님, 형수님의 마음도 조금은 헤아릴 수 있게 되었습니다.

얼마 전에는 '가족사진 찍기'라는 꿈을 이뤘습니다. 가장 이루고 싶었지만 가장 실현하기 어렵다고 여겼던 꿈이었어요. 왜냐하면, 제가 어떤 가족에 소속되어 있는지 명확하지 않았어요. 어렸을 때부터 함께 자라온 형님네 댁인지, 아니면 재혼하신 어머니의 가족인지… 그런데 제 꿈 목록이 적힌 공책을 형님이 보고 가족사진 촬영을 제안했기에 당당히 조카들의 삼촌으로 함께 촬영을 하게 되었습니다.

정신과 상담을 받고 우울증 약을 처방받은 적도 있었던 제가 꿈 목록을 하나씩 이루며 행복한 사람이 되었습니다. 앞으로도 멈추지 않고 다시 꿈을 적고 한 발짝씩 나아가겠습니다.

| 감사의 글 |

2019년 개정판을 준비하며 함께 수고해준 독자위원회 김우근, 남수민, 노형진, 송재옥, 이미정, 이재은, 이지안, 임선주, 한유경 님 께 감사드립니다. 또한 '독자들의 이야기'에 응모해주신 권수진, 권 수정, 김성진, 김태균, 김형지, 박서영, 박은경, 이연희, 이누리, 이하 린, 최단비, 한연주, 황희경 님 역시 소중한 경험담 나누어주신 점 진심으로 감사드립니다.

마지막으로, 지난 10년 간 〈멈추지 마, 다시 꿈부터 써봐〉를 사 랑해주신 모든 분들께 깊은 사랑과 축복의 마음을 전합니다. 꿈꾸 는 모든 일들이 현실이 되기를 온 마음으로 기원합니다.

멈추지 마, 다시 꿈부터 써봐

개정증보판 1쇄 발행 2019년 7월 19일
개정증보판 2쇄 발행 2019년 9월 17일

지은이 김수영
발행인 김수영

표지 디자인 김성엽의 디자인모아

발행처 꿈꾸는지구
출판사 등록일 2017년 4월 28일
주소 서울시 강남구 영동대로 738 현대리버스텔 710호
이메일 dreamworkshop@naver.com
전화 02-2299-0547
팩스 02-6008-7904
카카오톡 플러스친구 꿈꾸는지구

홈페이지 dreampanorama.com
블로그 dreamworkshop.blog.me
페이스북 dreampanorama
인스타그램 dreampanorama

ⓒ 김수영, 2019
값 15,000원
ISBN 979-11-962466-8-6 03190